LIVING FRENCH

T. W. KNIGHT, M.A. (Oxon.)

*Formerly Lecturer at the
City of Westminster College
and The Polytechnic, Regent Street, London*

UNIVERSITY OF LONDON PRESS LTD

UNIVERSITY OF LONDON PRESS LTD
ST PAULS HOUSE WARWICK LANE LONDON EC4

First published 1952
Second edition copyright © T. W. Knight 1960
Fifth impression 1966

Tape recordings of *Living French* are available
from Tutor-Tape Company Ltd, 2 Replingham
Road, London S.W.18.

Printed & Bound in England for the UNIVERSITY OF LONDON PRESS LTD,
by HAZELL WATSON & VINEY LTD, Aylesbury, Bucks

PREFACE

THIS book is intended primarily for day and evening students
in commercial and technical colleges, particularly for those
who have not studied French previously, and who require a
rapid general course. It is also suitable for private students,
including those who wish to " brush up " their French for
pleasure rather than for examination purposes.

It covers all the main points of French grammar, while
providing varied reading material and exercises ; and it lays
a solid foundation for more advanced work. The resultant
knowledge, if this course is supplemented in the later stages
by some suitable readers, should be adequate for such examinations as the General Certificate of Education (Ordinary
Level), the preliminary examinations of the Royal Society
of Arts, the College of Preceptors, and the Institute of
Linguists.

Each chapter is divided into five sections : grammar,
vocabulary, reading pieces, questions for oral work, and
exercises.

The grammar covers fully but simply all the basic points,
and includes an optional chapter on the Subjunctive.

The reading material has been chosen to provide variety of
theme and vocabulary, and includes stories, letters, and
conversations.

The exercises are based partly on the direct and partly on
the indirect method. As long as 50 per cent. of every examination paper consists of translation from English to French,
this type of question cannot be neglected.

There are revision exercises after each fifth chapter.

Spoken French can soon be perfected by a visit to France
after a basic knowledge of the grammar and vocabulary has
been acquired. The reverse procedure, often recommended,
is not an unqualified success.

T. W. K.

CONTENTS

CONTENTS 5

ACCENTS, ELISION, PUNCTUATION

ACCENTS

1. The Circumflex : ^

This accent is used (*a*) to show the lengthening of the vowel owing to the dropping of " s " : fenêtre (Latin : fenestra) ; (*b*) to show some other contraction : sûr (Latin : securus) ; (*c*) to distinguish two words spelt alike : " cru " (believed), and " crû " (grown).

2. The Acute Accent : ´

This indicates a closed, sharp " e " and occurs when the next syllable is sounded.

> e.g. ém*u*

and always on a final " e," if accented.

> e.g. donné, fatigué

3. The Grave Accent : `

This indicates an open " e," and occurs before a silent or mute " e " or " -ent."

> e.g. le père, ils donnèrent

This is also always used on " a " and " u " to show differences in meaning.

> e.g. a—has à—to ou—or où—where

Note also the grave accent on :

> très—very, près—near, après—after.

(Initial capital letters do not, as a rule, take the accent, except " E. ")

4. The Cedilla : ç

This is used to make the letter " c " soft (like an " s ") before the letters " a, o, u."

> e.g. le garçon

Note.—" c " is naturally soft before " i, e."

> e.g. ici, ce

5. **The Tréma :** ··

This is used over the second of two vowels, when it is not to be merged with the preceding vowel in a diphthong, but is to be pronounced separately.

> e.g.   haïr—to hate (" a " and " i " pronounced
> separately—not as in " j'ai "—I have).

ELISION

In French the final vowel of the following words is elided and replaced by an apostrophe when it comes before another word beginning with a vowel (a, e, i, o, u and y) or " h " mute.

1. **-e** in " je, me, te, se, le, ce, de, ne, que " *always* ; and in " lorsque, puisque, quoique " before " il, elle, on, un, une " only ; and in " quelque " before " un, une " only.

2. **-a** in " la."

3. **-i** is elided only before another " i," hence only in " si " before " il, ils."

> e.g.   **-e**   j'ai, l'enfant, l'homme
> lorsqu'il
> quelqu'un
> **-a**   l'amie
> **-i**   s'il

The Letter " H "

The letter " h " is generally mute or silent in French, but in certain cases it is aspirate or breathed and this is indicated by absence of elision.

> e.g.   la haie (the hedge)

PUNCTUATION

.	le point	« »	les guillemets
,	la virgule	( )	la parenthèse
:	les deux points	—	le tiret
;	le point et virgule	-	le trait d'union
?	le point d'interrogation	.....	les points de suspension ;
!	le point d'exclamation		les points suspensifs

Note : To conform with the usual practice in examination papers, and for simplification, English quotation marks are used in this book.

PRONUNCIATION

THE following notes are for the benefit of students working on their own. The English sounds given as a guide are in many cases only approximately similar.

The French alphabet consists of the same twenty-six letters as the English alphabet, but certain accents and other signs are used in French with some letters (see pp. 13–14). " W " is called " double v " and " y " is " ' i ' grec " (i.e. Greek " i "), while " g " is " gé " (zhay) and " j " is " gi " (zhee).

French *cannot* be spoken without opening the mouth and moving the lips—though English often is !

SYLLABLES AND STRESS

Stress on each syllable of a word is practically equal, but the *last* syllable upwards of more than one syllable is slightly stressed— *not* unstressed and almost unheard as is often the case in English.

Note.—Division into Syllables

1. A single consonant between two vowels always belongs to the syllable following it, e.g. café = ca-fé (not caf-é).

2. Combinations of consonants between vowels are divided: e.g. im/por/tant—but if the last of a group of consonants is " l " or " r " it counts as one with the preceding consonant, e.g. ta/bleau, ven/dre/di. For " mm " and " nn " see " NASAL VOWELS."

3. " gn " always begins its syllable, e.g. compa/gnon.

CONSONANTS

When a consonant ends a word in French it is usually *not* pronounced, though final " c," " f," " l " and " -r " in words of one syllable are generally pronounced. Most consonants, except when final, are pronounced as in English, but note the following points :

c before " e," " i," " y "⎫
ç before " a," " o," " u "⎬ = " s " in " sea " ⎰(ce, ici, cygne)
⎱(ça, garçon, reçut)

c before " a," " o," " u " = " k " (car, côte, curé)
    (For " cui . . . " see " DIPHTHONGS.")

ch = " sh " (champ)

g before " e," " i " = " s " in " pleasure " (âge, agir)

gn = " n " in " o*n*ion " (signe, campagne)

gu = " g " in " go," in most cases ignoring the " u " (guerre)— but as " gw " in a few cases

h is never pronounced ((h)omme) (see p. 10)

-il, -ill- = " y " in " yes " (the " l " not being sounded at all) (gentil, grille)—but there are a few words in which the " l " in

"-il " and " -ill- " is pronounced as " l " (fil, ville, village, mille, etc.), and *initial* " il " and " ill " are always pronounced normally (île, illustration), i.e. with " l " sounded

-ail, -aille = " a(h)ee " (travail, paille)

-eil, -eille = " ayee "—but only when final (pareil, pareille)

j = " s " in " pleasure " (je, jeter)

qu = " k " (qui, que, quand)

r must be either trilled with the tip of the tongue, or rolled in the throat (rat, grand, Paris)

s at beginning of a word } = " s " in " sea " (si, chasse,
ss, s in " st," " sp," " sc " } station, espèce, science)

s between two vowels = " z " as in " nose " (maison, rose)

s at end of a word is not pronounced (e.g. les livres) but " fi(l)s " is an important exception

-isme = " -issme " (tourisme)

th = " t " (thě)

-tion = " -sion " (station)

-stion = " -stion " (question)

w = " v " (wagon) except in words borrowed from English when " w " sound is retained (tramway)

x = " s " in numbers " six," " dix " (when not followed by a noun, e.g. si(x) sous) but silent when final otherwise (tableau(x)). See also " Liaison."

Vowels

a = " a " in " papa " when short (lac, la), or in " father " when long (pas, mât), i.e. followed by " s," or with circumflex

e = " e " in " quiet " when not final (revenir) and in *one*-syllable words with only *one* consonant preceding " e " (le, me, te, se, ne)

Final e When unaccented " e " occurs as the *final* letter of a word of more than two letters it is silent, and is called " e " mute (porte, chaise). The plural ending " -ent " in tenses of verbs is also never sounded (donn(ent), allai(ent))

é = " ay " in " day," a short, quick sound (été, café)

è = " e " in " met " (mère). " E(s) " (except in termination " -es " showing the plural) and " ès " in the same syllable (espèce, succès) ; " -et " ; " -ez " (complet, allez) ; and " -er " at the end of words of *more* than one syllable (donner). One-syllable words like " mer," however, sound the " r," so pronounce as " mare "

i, y = " i " in " machine " (il, nid, y)

o = " o " in " so " (gros, mot) when a silent consonant closes the syllable ; otherwise as " o " in " not " (or, porte)

u has no equivalent in English and must *never* be pronounced like the English sound " you " or " yew." Round the lips, pushing them forward, and then try to say the French sound for " i." A true Scotsman saying " rude " is a good attempt (tu, sur)

A circumflex (see p. 13) on a vowel—" â," " ê," " î," " ô," " û "—requires the vowel to be carried on longer (mât, fête, île, rôle, sûr)

NASAL VOWELS

(*Vowels pronounced through the nose*)

These have no equivalent in English (unless one has a cold) and occur in French when a vowel *precedes* " in," or " n " at the *end* of a syllable (an, en, vin, on, un). The " n " or " in " is then *not* pronounced, but the preceding vowel is pronounced by letting the breath pass through the nose instead of through the lips.

There are four nasal vowel-sounds in French :

1. am, an } " aun " in " aunt " without { (champ, dans)
   em, en } the " t " { (exemple, dent)

2. im, in, ym, yn } = " ang " { (timbre, vin, sympathie,
   aim, ain } without the { syndicat)
   ein, ien } " g " { (faim, main)
   { (teint, parisien)

3. om, on = " ong " without " g " (nombre, bon)

4. um, un = " earn " without " n " (parfum, brun)

The phrase " un[1] bon[2] vin[3] blan(c)[4] contains the four different nasal sounds (final " c " after nasal is silent), *but* " mm " and " nn " do not usually cause a nasal sound, and are pronounced (homme, bonne).

DIPHTHONGS

Two vowels coming together are called a diphthong when they make *one* sound, and in French there are cases of three vowels coming together and forming only one sound.

ai, ay } = " ay " in " day " (mai, payer, peine, asseyez)
ei, ey }

au, eau = " o " in " note " (saut, peau)

eu, œu = " u " in " urn " (feu, cœur)

oi = " wa " (moi)

ou = " oo " in " poor " (vous)

oui = " we," sharply (oui)

(c)ui = " queer " (cuisine)

There are exceptions to many of the above notes which can be learnt only by the study of a dictionary giving phonetic pronunciation, or the help of a teacher or a French-speaking friend.

Liaison

Liaison (a French word meaning " joining " or " linking ")
occurs in French when a word *ending* in a consonant is immediately
followed by a word beginning with a vowel or silent " h " (" h "
mute). This final consonant is pronounced and carried on to the
initial vowel of the word that follows. In such cases " s " and
" x " are pronounced like " z " (e.g. les enfants, six élèves, un
petit enfant, ils ont) ; and " d " like " t " (e.g. vend-il) ; and " f "
like " v " (e.g. neuf heures). Such liaison occurs particularly in
words closely connected grammatically (e.g. adjective + noun,
pronoun + verb) *but* " et " (= and) is never run on, e.g. et il
(*never* et il). Avoid confusion with " est-il? " (= is he?).

THE FRENCH ALPHABET

LETTER	FRENCH NAME AND PRONUNCIATION	LETTER	FRENCH NAME AND PRONUNCIATION
a	*a*	n	*enne*
b	*bé*	o	*o*
c	*cé*	p	*pé*
d	*dé*	q	*ku*
e	*é*	r	*erre*
f	*effe*	s	*esse*
g	*gé*	t	*té*
h	*ache*	u	*u*
i	*i*	v	*vé*
j	*ji*	w	*double vé*
k	*ka*	x	*iks*
l	*elle*	y	*i grec*
m	*emme*	z	*zède*

LESSON I

GRAMMAR

In French *all* Nouns are either Masculine or Feminine.

There is no difficulty in deciding the gender of people, but the gender of things and abstract nouns is determined, with few exceptions, by the ending of the noun.

Nouns ending in " -e " mute have developed from Latin nouns with the feminine ending " -a," and are therefore usually feminine. Most abstract nouns are also feminine.

A. THE (the Definite Article)

	Singular	*Plural*
Masculine le (l' before vowel or mute " h ")	}	les (*the*)
Feminine la (l' before vowel or mute " h ")		

e.g. *M*. le père, l'enfant, l'homme } les pères,
       the father, the child, the man   les enfants,
    F. la mère, l'encre, l'heure   les hommes,
       the mother, the ink, the hour   etc.

B. A, AN (the Indefinite Article)

            Singular   *Plural*

Masculine un   } des (*some*)
  e.g. un père, un enfant, un homme
Feminine une   } e.g. des
  e.g. une mère, une encre, une heure   pères, etc.

C. The Plural of Nouns

In French the plural of nouns is formed, with few exceptions, by adding -s as in English. If the noun already ends in " s " in the singular, no addition is necessary.

e.g. le père.   Pl. les pères.
    le fils, *the son*   Pl. les fils, *the sons*

D. The Present Tense of " avoir " (to have) and " être " (to be)

avoir (*to have*)		être (*to be*)	
j'ai	*I have*	je suis	*I am*
tu as	*you have*	tu es	*you are*
il ⎱a	*he has* ⎱*it has*	il ⎱est	*he is* ⎱*it is*
elle ⎰	*she has* ⎰	elle ⎰	*she is* ⎰
nous avons	*we have*	nous sommes	*we are*
vous avez	*you have*	vous êtes	*you are*
ils ⎱ont	*they (m.) have*	ils ⎱sont	*they (m.) are*
elles ⎰	*they (f.) have*	elles ⎰	*they (f.) are*

NOTES

(1) **tu** is singular only, and is used only when speaking to relatives, close friends, children and animals.

Use **vous** for " you," both for singular and plural, in all other cases.

(2) Write **j'** instead of " je " when the verb begins with a vowel, e.g. j'ai.

(3) If a noun is the subject of the verb the pronoun must be omitted.

     e.g. Le père est dans le salon
         (*not* " Le père il est . . .")
         The father is in the drawing-room.

VOCABULARY

le chat	cat	la chaise	chair
le divan	settee	la cheminée	fireplace, mantelpiece
l'enfant (m. or f.)	child	la famille	family
le fauteuil	armchair	la fenêtre	window
le feu	fire	la fille	daughter
le fils	son	la maison	house
le journal	newspaper	la mère	mother
le mur	wall	la pendule	clock (small)
le livre	book	la porte	door
le père	father	Marie	Mary
le plancher	floor	madame	Mrs.

le salon	lounge, sitting-room	assis	sitting, seated
le tableau	picture	aussi	also
le tapis	carpet	avec	with
Pierre	Peter	dans	in
monsieur	Mr.	derrière	behind
		devant	in front of
		sur	on
deux	two	sous	under
et	and		
où?	where?		
qui?	who?		

Note.—Words which are spelt identically or almost identically in each language (and whose gender, in the case of nouns, is clearly indicated in the reading matter) will be omitted from the Vocabulary.

Verbs and any other special words which have been dealt with in the Grammar preceding each lesson will also be omitted.

LE SALON

Le salon a une porte et deux fenêtres. Il a aussi une cheminée, une table, des chaises, deux fauteuils, et un divan.

Le tableau est sur le mur ; la pendule est sur la cheminée ; le tapis est sur le plancher ; la lampe est derrière la table.

La famille Dubois est dans le salon. Monsieur Dubois est le père ; il est assis dans un fauteuil devant le feu. Il a un journal et une pipe.

Madame Dubois est la mère ; elle est sur le divan, sous la lampe, et elle a un livre.

Monsieur et Madame Dubois sont les parents ; Pierre et Marie sont les enfants. Pierre est le fils ; il est devant la fenêtre, avec Marie, la fille. Ils ont un chat ; il est sous la table.

QUESTIONS

1. Où est le père?
2. Qui est sur le divan?

3. Où est le chat?
4. Qui a un livre?
5. Où est la mère?
6. Qui sont les parents?
7. Où est le tapis?
8. Qui a un journal?
9. Où est la pendule?
10. Qui sont devant la fenêtre?

EXERCISES

A. Write " le, la, l' " or " les " before the following :

pendule, fauteuil, famille, enfant, père, fenêtres, livre, cheminée, murs, tableau.

B. Write " un, une " or " des " before the following .

pipe, salon, divan, chats, mère, fenêtre, murs, journal, enfant, tables.

C. Replace the infinitive in brackets by the appropriate form of the verb :

1. Nous (être) dans le salon.
2. Ils (être) devant la lampe.
3. Je (être) derrière la table.
4. Vous (être) le père.
5. Marie (être) la fille.
6. Il (avoir) un journal.
7. Vous (avoir) des livres
8. Ils (avoir) un chat.
9. Je (avoir) une pipe.
10. Nous (avoir) une pendule.

D. Fill in the appropriate missing word or words :

1. Le salon a — fenêtres et — porte.
2. — la cheminée — une pendule.
3. Monsieur Dubois est — un fauteuil — le feu.
4. — est la mère : elle — un livre.
5. Pierre — le fils ; Marie est la —.

E. Translate into French :

1. We are in the house.
2. The children are in front of the window.
3. You are behind the table.
4. Mary is the daughter.
5. She has a newspaper.
6. The books are on the mantelpiece under the picture.

7. We have two windows and two doors in the living-
   room.
8. I am behind the armchair in front of the lamp.
9. The father has a pipe, and he has also a book.
10. Mr. and Mrs. Dubois have a family, a son and a
    daughter.

F. Write in French a few lines about " La Famille."

Word Lists : " La Famille," p. 226 ; " La Maison," p. 227.

LESSON II

GRAMMAR

A. The Partitive Article (some, any)

In English we often omit the partitive article, and say
" We have pens and paper " instead of " some pens and some
paper," but in French the word " some " must never be
omitted, and it is expressed by the words " of the " (e.g. some
bread = of the bread).

Partitive Article

Singular		*Plural*
		M. F.

Masculine **du**
  (before a vowel or mute " h " : **de l'**)

Feminine **de la**
  (before a vowel or mute " h " : **de l'**)

                               des

e.g. du pain	some bread
de l'eau	some water
de la viande	some meat
des tables	some tables

(NEVER write " de le " for **du**, or " de les " for **des**.)

The boy has bread and biscuits.

Le garçon a *du* pain et *des* biscuits.

B. Adjectives

Adjectives in French, unlike adjectives in English, must
agree with the nouns to which they refer, showing by their
endings whether they are masculine or feminine, singular or
plural.

Agreement Rules

Singular.—Add **-e** to form the feminine, unless the adjective
already ends in " -e " in the masculine, in which case no change
is required.

e.g. rouge (*red*)

Note, however, that adjectives ending in " -é " in the masculine require an additional -e to form the feminine.

e.g. fatigué (*tired*) ; fatiguée.

Plural.—Add -s to masculine or feminine singular.

Examples :

Singular $\begin{cases} M. & \text{Le garçon est grand. The boy is big.} \\ F. & \text{La salle est grande. The room is big.} \end{cases}$

Plural $\begin{cases} M. & \text{Les garçons sont grands. The boys are big.} \\ F. & \text{Les salles sont grandes. The rooms are big.} \end{cases}$

Note.—If two or more nouns are the subject of a sentence, and one or more of these are feminine, the masculine takes preference, and the adjective ending required is consequently the masculine plural.

e.g. Le plat et la nappe sont blancs.
The dish and the cloth are white.

C. There is a very common and useful expression in French, used in making statements :

Il y a . . . there is, *or* there are.

e.g. Il y a un livre sur la chaise.
There *is* a book on the chair.
Il y a des fleurs sur la table.
There *are* some flowers on the table.

D. Questions

The simplest way of asking a question in French is to put :
Est-ce que (*Is it that* . . .) before a statement.

e.g. Est-ce que le père est dans la salle?
Is the father in the room?
Est-ce qu'il y a des fleurs sur la table?
Are there any flowers on the table?

Note.—Que becomes qu' before a vowel. (e.g. Est-ce qu'il y a un livre sur la table? Is there a book on the table?)

VOCABULARY

le beurre	butter	l'assiette (f.)	plate
le buffet	sideboard	la cuiller	spoon
le café	coffee	l'eau (f.)	water

le couteau	knife	la fleur	flower
(pl. couteaux)		la fourchette	fork
le fromage	cheese	la nappe	tablecloth
le lait	milk	la salle à manger	dining-room
le légume	vegetable	la tasse	cup
le pain	bread	la viande	meat
le plat	dish		
le sucre	sugar	de (d')	of
le vase	vase	ou	or
le verre	glass	oui	yes
le vin	wine	pour	for
		trois	three
blanc	white	quatre	four
(f. blanche)			
brun *brune*	brown	Comment est	What is the
grand *grande*	big, large	le vase?	vase like?
joli *jolie*	pretty	De quelle	Of what
noir *noire*	black	couleur?	colour?
petit *petite*	little, small	Qu'est-ce	What is
rouge	red	qu'il y a?	there?
vert *verte*	green		

LA SALLE À MANGER

La salle à manger est grande. Dans la salle à manger il y a
un buffet, une table et quatre chaises. Sur la table il y a une
nappe. Elle est blanche. Sur la nappe il y a des serviettes,
des couteaux, des fourchettes, des cuillers, des assiettes et
trois verres. Il y a aussi trois tasses pour le café. Les
tasses sont petites. Il y a du pain, du beurre et du fromage
sur une assiette. Il y a aussi de la viande et des légumes sur
un plat, une carafe d'eau et une bouteille de vin.

Qu'est-ce qu'il y a dans les verres? Dans les verres il y a
du vin ou de l'eau. Le vin est rouge ou blanc. Le café est
noir. Le sucre et le lait sont blancs. Est-ce qu'il y a des
fleurs sur la table ? Oui, il y a des fleurs dans un vase. De
quelle couleur sont les fleurs ? Les fleurs sont blanches et
rouges. Et comment est le vase ? Le vase est joli ; il est
brun et vert.

QUESTIONS

1. Où est la nappe?
2. Est-ce qu'il y a une tasse sur la table?
3. De quelle couleur est le vin?
4. De quelle couleur sont les fleurs?
5. Où est la viande?
6. Est-ce qu'il y a de l'eau dans le verre?
7. Où est le fromage?
8. Comment est le vase?
9. Qu'est-ce qu'il y a dans la tasse?
10. Qu'est-ce qu'il y a sur le plat?

EXERCISES

A. Put the correct form of the Partitive Article (" du, de la, de l', des ") before the following nouns :

café, tasses, viande, eau, vin, verres, pain, légumes, sucre, fromage, beurre, couleur, plats, lait, assiettes.

B. (a) Alter, if necessary, each adjective to make it agree with its noun :

La table est (petit)   Les vases sont (joli)
Les fleurs sont (rouge)   L'eau est (noir)
Le café est (noir)   Le vin est (rouge)
Les tasses sont (petit)   Les légumes sont (vert)
L'assiette est (grand)   La nappe est (blanc)

(b) Fill in a suitable adjective, and make it agree with its noun :

la lampe est —, les tapis sont —, le livre est —, les filles sont —, la pendule est —.

C. Translate :

some coffee, some cups, some water, some meat, there are three chairs, they have four plates, the cup is small, the flowers are pretty, the chairs are big, the water is black, the milk and the sugar are white, is there some bread? are there some flowers? of what colour is the wine? what is the dining-room like?

D. Translate :

The dining-room is small.   There are four chairs and a table in the dining-room.   On the table there is a tablecloth.   It is green.   There are also plates, knives, spoons and forks.

Is there a cup on the table?   Yes, there are three cups and a glass.   The cups are small.

What is there in the cups?   There is coffee in the cups. What is there in the glass?   There is some wine.   The coffee is black and the milk is white.   There is also meat on a dish, and there are vegetables on a plate.

Are there any flowers?   Yes, there are some flowers in a vase.   What is the vase like?   It is pretty ; it is green and brown.   What colour are the flowers?   They are red and white.

E. Write in French a few lines about " La Table."

LESSON III

GRAMMAR

A. Present Tense of Verbs ending in -ER. (*Group I, Regular Verbs*)

Most verbs in French, with the exception of about thirty common irregular verbs which we shall learn by degrees, form their tenses in a regular way, following definite rules. There are three groups of these regular verbs, and we shall now learn the endings of the largest and most important group, those whose name or infinitive ends in **-er**, e.g. donner (*to give*). ALL verbs whose infinitive ends in " -er " are conjugated like " donner," except " aller " (*to go*) and " envoyer " (*to send*).

The **-er** is called the ending, and the **donn-** the stem. To make the present tense of Group I, Regular Verbs, we remove the **-er**, and put on the endings : **-e, -es, -e, -ons, -ez, -ent.**

e.g. donner (*to give*). Stem : donn-

je donne		*I give* or *I am giving*
tu donnes		*you give* (sing., relatives, etc., only)
il } elle }	donne	*he* } *she* } *gives*
nous donn**ons**		*we give*
vous donn**ez**		*you give* (sing. or plural)
ils } elles }	donn**ent**	*they give*

Note.—There are a few verbs of Group I with the vowel **e** as stem vowel, and this must take a grave accent before a final mute syllable.

e.g. acheter—to buy

j'achète	nous achetons
tu achètes	vous achetez
il achète	ils achètent

Similarly : lever—*to lift*, mener—*to lead*, promener—*to walk*.
(A mute syllable is one that ends in " -e " without an accent,
or in " -es " or " -ent " at the end of a verb.)

B. OF (Possession)

The French do not use " 's " to show possession as we do
in English, but always say " the hat of John," " the book of
the boy."   The French for " of " is **de**.

e.g. le chapeau **de** Jean.
John's hat.

But when " de " is combined with " le, la, les " for " of the "
it becomes exactly like the Partitive Article, " some," which
we have already learnt.

	Singular	*Plural*
Masculine **du** (**de l'** before a vowel or mute " h ")	} **des**	
Feminine **de la** (**de l'** before a vowel or mute " h ")		

	Singular		*Plural*
e.g. M.	du garçon	*of the boy*	des garçons
	de l'homme	*of the man*	des hommes
F.	de la femme	*of the woman*	des femmes
	de l'école	*of the school*	des écoles

The boy's book —le livre du garçon
The boys' books—les livres des garçons.

C. TO or AT in French = à

e.g. à Jean, à Paris, à un magasin.
to John, to or *at Paris, to* or *at a shop*.
but when " à " is combined with " le, la, les " it becomes :

	Singular	*Plural*
Masculine **au** (**à l'** before a vowel or silent " h ")	} **aux**	
Feminine **à la** (**à l'** before a vowel or silent " h ")		

	Singular		*Plural*
e.g.	au garçon	*to the boy*	aux garçons
	à l'homme	*to the man*	aux hommes
	à la femme	*to the woman*	aux femmes
	à l'école	*to the school*	aux écoles

e.g. Je donne le livre au garçon et à la fille.
I give the book to the boy and to the girl.

D. It will be necessary to learn by heart the Present Tense of some twenty common Irregular Verbs, which are summarised in a table at the back of the book. We have already learnt " avoir " (*to have*) and " être " (*to be*). The next important irregular verb is " aller " (*to go*).

All irregular verbs will be indicated in the vocabularies by an asterisk.

aller (*to go*)

je vais	*I go, am going*
tu vas	*you go*
il (elle) va	*he (she) goes*
nous allons	*we go*
vous allez	*you go*
ils (elles) vont	*they go*

VOCABULARY

l'agent	policeman	l'amie (f.)	friend
l'argent (m.)	money	l'auto (f.)	car
l'autobus (m.)	bus	la femme	woman, wife
le chapeau	hat	l'heure (f.)	hour (o'clock)
le coin	corner	la maison	house
le déjeuner	lunch	la place	square
l'épicier	grocer	la pomme	apple
le franc	franc	la robe	dress (of silk)
le kilo	kilogram	(de soie)	
le magasin	shop	la rue	street
le marchand	merchant	la ville	town
le marché	market	la vitrine	shop-window
le médecin	doctor *le docteur*		
le panier	basket	cinq	five
le prix	price	six	six
le ticket	bus ticket	beau (f. belle)	fine, beautiful
		gai	gay
admirer	to admire	chez	to or at the
apporter	to bring		house or
arriver	to arrive		shop of
déjeuner	to lunch	combien?	how much?
demander	to ask, ask for	d'abord	firstly

entrer (dans)	to enter	de bonne	
monter (dans)	to get, or	heure	early
	mount into	ensemble	together
porter	to carry, wear	en ville	in town
quitter	to leave	près de	near
regarder	to look at	puis	then, next
rencontrer	to meet	quand	when
rentrer	to come back,	quel (f. quelle)	what
	return home	qui	who, which

Quel beau   What a fine   (subject)
    marché!   market!
Qu'est-ce que? What is it
                        that?
Qui est-ce que? Who is it
                        that?

En Ville

Madame Dubois, qui porte un joli chapeau, quitte la maison de bonne heure, et monte dans l'autobus au coin de la rue. Il y a un agent près du coin.

Le receveur de l'autobus donne un ticket à Madame Dubois.

Elle arrive en ville, et va d'abord chez l'épicier, où elle achète des provisions. Elle donne cinq francs à l'épicier.

Puis elle va aux grands magasins, qui sont très gais. Les vitrines des magasins sont jolies.

Elle regarde les robes, et elle achète une robe de soie dans un magasin près de la place du marché.

Elle rencontre la femme du médecin, et elles vont ensemble au marché.

Quel beau marché! Elles admirent les fruits, les légumes, et les belles fleurs.

Madame Dubois demande au marchand le prix des pommes : " Combien le kilo? " " Un franc, madame." Elle donne de l'argent au fils du marchand, qui apporte un panier.

Puis les amies entrent dans un restaurant, où elles déjeunent.

Après le déjeuner elles vont au cinéma, et elles rentrent à la maison à six heures dans l'auto de l'amie de Madame Dubois.

QUESTIONS

1. Qu'est-ce que Madame Dubois porte ?
2. Où est-ce qu'elle monte?
3. Où est-ce qu'elle arrive?
4. Qu'est-ce qu'elle regarde?
5. Qu'est-ce qu'elle achète?
6. Qui est-ce que Madame Dubois rencontre?
7. Où est-ce qu'elles vont ensemble?
8. Qu'est-ce qu'il y a au marché?
9. Qu'est-ce que Madame Dubois donne au fils du marchand?
10. A quelle heure est-ce que les deux amies rentrent à la maison?

EXERCISES

A. Replace the infinitive in brackets by the appropriate form of the verb :

1. Elle (porter) un costume.
2. Nous (arriver) à la ville.
3. Ils (acheter) des tickets.
4. Vous (regarder) la vitrine.
5. Il (aller) au marché.
6. Je (entrer) dans le restaurant.
7. Elle (demander) des pommes.
8. Ils (aller) au cinéma.
9. Nous (rentrer) à six heures.
10. Vous (quitter) la maison.

B. Put " of the " (" du, de la, de l' " ; or " des ") before the following nouns :

marchand, médecins, amie, femme, restaurant, pommes, maison, coin, autobus, rue.

C. Put " to the " (" au, à la, à l' " ; or " aux ") before the following nouns :

ville, amie, marchand, cinéma, médecins, place, auto, coin, magasins, marché.

D. Fill in the appropriate missing word :

1. Madame Dubois porte un — chapeau ; elle va — magasins.
2. Le receveur — autobus donne un ticket — épicier.

3. Marie — de l'argent au marchand qui — un panier.
4. Les amies — les vitrines, — sont très gaies.
5. La femme — médecin et Pierre — au cinéma.

E. Translate :

early, at the corner of the street, to the shops, near the shop, the windows are gay, the merchant's wife, the price of the vegetables, at five o'clock, the friend's car, Mrs. Dubois's hat, to the market square, the conductor of the bus, the doctor's son, we go to the cinema, what a fine hat ! firstly, six francs a kilo, I get in the bus, do they lunch at the restaurant ? does he go ?

F. Translate :

Mrs. Dubois arrives early at the town. She goes to the shops with a friend who is the doctor's wife. They buy two dresses, which are very pretty. Then they go together to the market where they admire the vegetables and the beautiful flowers. They look also at the fruit. The merchant's son brings a basket and he gives some apples to Mrs. Dubois's friend.

They lunch at a restaurant near the market. At two o'clock Mrs. Dubois goes to the cinema, but the doctor's wife gets into a bus at the corner of the street.

G. Write in French a few lines about " Le Marché " or " La Ville."

Word List : " La Ville," p. 229.

LESSON IV

GRAMMAR

A. Questions

Although the expression " Est-ce que," which has been used to ask a question in previous lessons, can be used at all times, a simpler and more usual method of asking a question in French is to invert the subject and verb, e.g. :

être	avoir	donner
suis-je ? *am I ? etc.*	ai-je ? *have I ? etc.*	**est-ce** que je donne ? *do I give ? etc.*
es-tu ?	as-tu ?	donnes-tu ?
est-il (-elle) ?	a-t-il (-elle) ?	donne-t-il (-elle) ?
sommes-nous ?	avons-nous ?	donnons-nous ?
êtes-vous ?	avez-vous ?	donnez-vous ?
sont-ils (-elles) ?	ont-ils (-elles) ?	donnent-ils (-elles) ?

NOTES

(1) When the verb ending before " il " or " elle " is a vowel, a **t** is inserted.

e.g. a-t-il? has he?

Similarly, in the case of " il y a " (*there is, there are*), write y a-t-il? *is there? are there?*

(2) Although we write " suis-je " and " ai-je," we generally use **est-ce que** before " je " to avoid an awkward sound.

e.g. Est-ce que je donne? (Never " donne-je? "—but " donné-je " is found in literary French.)

(3) When there is a noun subject to a verb instead of a pronoun, we place the noun first, then invert the verb and add the necessary pronoun.

e.g. Does the man give?
L'homme, donne-t-il?

But we can always avoid this if we wish by using **est-ce que.**

e.g. Est-ce que l'homme donne?

B. Negatives

We express " not " with a verb, e.g. " I do not give," by putting ne (n' before a vowel) before the verb, and **pas** after, e.g.:

donner	avoir
je ne donne pas. *I do not give, etc.*	je n'ai pas. *I have not, etc.*
tu ne donnes pas	tu n'as pas
il (elle) ne donne pas	il (elle) n'a pas
nous ne donnons pas	nous n'avons pas
vous ne donnez pas	vous n'avez pas
ils (elles) ne donnent pas	ils (elles) n'ont pas

Note.—Notice the position of " ne " :

1. When we write a negative question, e.g.

   Ne suis-je pas?   Am I not?
   Ne donnons-nous pas?   Don't we give?
   N'a-t-il pas?   Hasn't he?

2. With " il y a." e.g.

   Il n'y a pas.   There is not, are not.
   N'y a-t-il pas?   Is there, are there not?

C. DE (**D'** before a vowel or " h " mute) is written instead of " du, de la, de l', des " for " some, any " in the following cases :

1. *After a Negative*

   e.g. I haven't a (any) pen.
   Je n'ai pas **de** plume.
   There is no water (= not any).
   Il n'y a pas **d'**eau.

2. *After Expressions of Indefinite Quantity*

(Other than the words " some, any," which are translated by " du, de la, de l', des " ; and the adjectives " quelques " (a few) and " plusieurs " (several).)

viz. beaucoup **de**	many, a lot of	peu de	few, little
		trop **de**	too many, too much

assez **de**	enough	autant **de**	as much, as
tant **de**	so much, so		many
	many	combien **de**?	how many,
un peu **de**	a little		much?

plein de

e.g. a lot of apples   beaucoup **de** pommes
too much water   trop **d'**eau
a little wine   un peu **de** vin

Also after such expressions as :

Adjective : plein **d'**eau   full of water

Nouns { un verre **de** vin   a glass of wine
{ un sac **de** blé   a sack of corn

Exceptions

bien **des** pommes   many, a lot of, apples
encore **du** pain   some more bread
la plupart **des** maisons   most of the houses

D. Possessive Adjectives

	Singular		Plural
	Masc.	*Fem.*	*Masc. and Fem.*
my	mon	ma	mes
your	*ton	*ta	*tes
his, her, its	son	sa	ses
our	notre	notre	nos
your	votre	votre	vos
their	leur	leur	leurs

These agree in gender and number with the *noun possessed*, and *not* with the possessor.

e.g. my mother and father   **ma** mère et mon père
       her husband   **son** mari

In other words, they agree with their adjacent noun, just like " le, la, les."

* Used only when addressing relatives and close friends, children, and animals.

L.F.—2

Note.—Before a feminine noun beginning with a vowel or mute " h " write " mon, ton, son " instead of " ma, ta, sa."

e.g. **mon** amie   (*not :* ma amie)

E. **Present Tense of Irregular Verbs, " dire " (to say), " lire " (to read), " partir " (to set out), " prendre " (to take)**

dire (*to say*)	lire (*to read*)
je dis	je lis
tu dis	tu lis
il (elle) dit	il (elle) lit
nous disons	nous lisons
vous dites	vous lisez
ils (elles) disent	ils (elles) lisent

partir (*to set out*)	prendre (*to take*)
je pars	je prends
tu pars	tu prends
il (elle) part	il (elle) prend
nous partons	nous prenons
vous partez	vous prenez
ils (elles) partent	ils (elles) prennent

Note.—Compound forms of any verb are conjugated like their parent verb.

e.g. " repartir " (*to set out again*) is conjugated like " partir."
" reprendre " (*to take again*), " comprendre " (*to understand*) are conjugated like " prendre."

VOCABULARY

l'ami (m.)	friend	l'arrivée	arrival
l'après-midi	afternoon (in the)	la dactylo	typist
		la gare	station
le billet	rail ticket	la lettre	letter
le bureau	office, desk	la machine à écrire	typewriter
le bureau de poste	post office	la réponse	answer
le dîner	dinner	la serviette	brief-case

le facteur	postman	fatigué	tired
le métro	Underground	sept	seven
le parapluie	umbrella	huit	eight
le petit		neuf	nine
déjeuner	breakfast	après	after
le repas	meal	aujourd'hui	today
le temps	time	avec	with
le timbre	stamp	encore	again, more
le travail	work	jusqu'à	until
		midi	12 a.m.
causer	to chat	mais non!	oh no!
chercher	to look for	oui	yes
désirer	to wish, want	pour	in order to
dicter	to dictate	en retard	late (for a fixed time)
téléphoner	to telephone	tard	late (at a late hour)

Au Bureau

Monsieur Dubois entre un peu tard dans la salle à manger. La famille est à table.

Il prend généralement le petit déjeuner à huit heures. Il demande à sa femme : " Suis-je en retard ? " " Oui," dit-elle. " Tu n'as pas beaucoup de temps."

Il cherche son parapluie et sa serviette et part pour la gare. A la gare il achète un journal au kiosque, prend son billet, et monte dans le train.

Quand il arrive à Paris il prend le métro, et entre dans son bureau à neuf heures.

A son arrivée il demande à sa dactylo : " Y a-t-il des lettres, mademoiselle ? " Elle est assise devant sa machine à écrire, et elle donne cinq lettres à Monsieur Dubois. " Il y a peu de lettres aujourd'hui," dit-il, et il lit les lettres de ses clients et dicte les réponses jusqu'à midi.

A midi Monsieur Dubois et son ami Monsieur Lebrun déjeunent, et après le repas Monsieur Dubois téléphone à sa femme. Il dit : " Il n'y a pas trop de travail aujourd'hui. Je vais rentrer par le train de six heures. Désires-tu aller au cinéma ? "

L'après-midi il cause avec des clients. Le facteur apporte encore des lettres. Sa dactylo dit : " Je n'ai pas de timbres. Je vais acheter des timbres au bureau de poste."

Monsieur Dubois ferme son bureau à cinq heures, prend un taxi pour arriver à la gare, et rentre à la maison. Sa femme dit : " N'es-tu pas fatigué? " " Mais non," dit-il. " Nos enfants, désirent-ils aller au cinéma avec nous? "

Après le dîner, à huit heures, Monsieur et Madame Dubois partent pour le cinéma avec leurs enfants.

QUESTIONS

1. A quelle heure Monsieur Dubois prend-il son petit déjeuner?
2. Qu'est-ce qu'il demande à sa femme?
3. Qu'est-ce qu'il cherche?
4. Où entre-t-il à neuf heures?
5. Qu'est-ce qu'il dicte jusqu'à midi?
6. Son ami, déjeune-t-il avec Monsieur Dubois?
7. La dactylo, a-t-elle des timbres?
8. A quelle heure Monsieur Dubois ferme-t-il son bureau?
9. Est-il fatigué?
10. Combien d'enfants a Monsieur Dubois?

EXERCISES

A. Replace the infinitive in brackets by the appropriate ending :

1. Vous (dire). 2. Ils (dire). 3. Elle (lire). 4. Nous (lire). 5. Ils (lire). 6. Je (partir). 7. Vous (partir). 8. Ils (prendre). 9. Nous (prendre). 10. Vous (être).

B. Make each of the following sentences (*a*) Interrogative and (*b*) Negative :

1. Monsieur Dubois porte un chapeau. 2. Il est en retard. 3. Il a un parapluie. 4. Monsieur Dubois et son ami déjeunent. 5. Il y a beaucoup de lettres. 6. Je dicte une réponse. 7. Les enfants vont au cinéma. 8. Je suis fatigué. 9. Le monsieur prend un billet. 10. Elle achète un journal.

C. Insert a suitable possessive adjective (e.g. mon, ma, mes, etc.) :

1. Il porte — parapluie. 2. Nous lisons — lettres. 3. Ils parlent à — amis. 4. Elle rencontre — amie. 5. Je rentre à — maison. 6. Vous achetez — billet. 7. Tu prends — serviette. 8. Nous cherchons — train. 9. Elle parle à — père. 10. Ils entrent dans — bureau.

D. Insert correctly : " du, de la, de l', des " or " de, d' " before the following :

— billets, — viande, — eau, — pain, beaucoup — café, je n'ai pas — vin, — légumes, peu — lettres, elle n'a pas — timbres, trop — eau.

E. Translate :

how many clients ?, few trains, a little water, enough work, too many apples, a glass of milk, several books, most of the letters, we have no stamps, haven't you any tickets?

F. Translate :

Mr. and Mrs. Dubois and their children take breakfast at eight o'clock. Mr. Dubois has not too much time. He sets out for the station, where he buys his newspaper.

When he arrives in Paris he meets his friend Mr. Lebrun and they go together to their office. Mr. Dubois asks (to) his typist : " Are there many letters today? " She says : " No, there are few letters, sir." She is seated in front of her typewriter, and she has paper, pens, pencils and ink. Mr. Dubois dictates letters until twelve o'clock. Then he goes to have lunch.

After the meal he chats with his clients, and at four o'clock he telephones to his wife : " Do the children want to go to the cinema ? There are few clients, and I have not too much work. I am returning by the six o'clock train."

G. Describe in French, from memory, " La Journée* de Monsieur Dubois."

* la journée = the whole day (*not* "journey").

GRAMMAR

A. **Present Tense of Verbs ending in "-IR"** (*Group II, Regular Verbs*)

Verbs of this group are not nearly so numerous as those belonging to Group I. In the plural they insert -iss after the stem. Endings: **-is, -is, -it, -issons, -issez, -issent.**

e.g. **finir** (*to finish*). Stem: **fin-.**

je finis *I finish*	nous finissons
tu finis	vous finissez
il (elle) finit	ils (elles) finissent

Note.—There are a few important verbs ending in " -ir " which are irregular and do not insert " -iss " in the Present.

Note particularly: " dormir " (*to sleep*), " partir " (*to start* or *set out*), " servir " (*to serve*), " sortir " (*to go out*)—which are all conjugated like " partir " (Lesson IV).

B. Position of Adjectives

In French, with a few exceptions, adjectives are placed *after* the nouns they qualify.

1. Adjectives placed *after* their nouns include all adjectives of colour and nationality, and all long adjectives.

e.g. le chien noir	the black dog
une maison anglaise	an English house
une leçon intéressante	an interesting lesson

Note.—Two or more adjectives following a noun are joined by **et.**

e.g. l'herbe verte **et** épaisse   the thick green grass

2. Adjectives placed *before* their nouns.

The following list of common adjectives which generally precede their nouns should be learnt by heart:

autre	*other*	bon	*good*
beau	*beautiful, fine*	gentil	*nice*

grand	great, large	mauvais	bad
gros	big	méchant	wicked
haut	high, tall	meilleur	better
jeune	young	même	same
joli	pretty	petit	little, small
large	broad	vieux	old
long	long	vilain	nasty, ugly

e.g. un beau jour   a fine day
     une jolie petite maison   a pretty little house

All *numeral adjectives* also precede their nouns ; as also do " chaque " (*each*), " plusieurs " (*several*), " quelque " (*some, a few*), and " tout " (*all*).

e.g. trois livres   three books
     plusieurs livres   several books
     le troisième livre   the third book

3. Adjectives placed *before, or after,* according to *meaning.*

Before Noun		*After Noun*
brave	worthy	brave
cher	beloved	expensive
dernier	final	past
nouveau	fresh, another	new-fashioned
pauvre	to be pitied	penniless
propre	own	clean

Note.—The above rules are given for general guidance ; the position of the adjective in modern French is not always a question of rule, but one of style or of emphasis, and many adjectives other than those in B.2 will often be found placed before the noun.

C. DE (D' before a vowel or mute " h ") is written instead of " des " for " some, any " when an adjective comes *before* a noun in the plural.

     e.g. **de** bons livres   some good books

Note : une jeune fille (*a girl*), **des** jeunes filles, as the adjective is really part of the noun in such cases.

D. Irregular Feminine Forms of Adjectives

(For rule for formation of regular feminines see Lesson II.)
Note the following irregular groups :

	Masculine ending		*Feminine ending*
I.	-er		-ère
		e.g. cher, chère (*dear*)	
2.	-f		-ve
		e.g. actif, active (*active*)	
3.	-x		-se
		e.g. heureux, heureuse (*happy*)	
4.	-on		-onne
	-ien	These double	-ienne
	-eil	the final	-eille
	-el	consonant	-elle
	-et		-ette

e.g. bon, bonne   *good*
parisien, parisienne   *Parisian*
pareil, pareille   *similar*
cruel, cruelle   *cruel*
muet, muette   *mute*

5. The following irregular feminines must be learnt :

Masculine	*Feminine*	
bas	basse	*low*
blanc	blanche	*white*
doux	douce	*sweet, soft*
épais	épaisse	*thick*
favori	favorite	*favourite*
frais	fraîche	*fresh*
gentil	gentille	*nice*
gras	grasse	*fat*
gros	grosse	*big*
long	longue	*long*
sec	sèche	*dry*

6. Three common adjectives which come before the noun
have a special form before a masculine noun beginning with a
vowel or mute " h " as well as an irregular feminine form :

Masculine		*Feminine*	
(*Consonant*)	(*Vowel or mute* "*h*")		
beau	bel	belle	*beautiful*
nouveau	nouvel	nouvelle	*new*
vieux	vieil	vieille	*old*

e.g. un bel été, un nouvel ami, un vieil oncle
    a beautiful summer, a new friend, an old uncle.

Note : See page 48 for the special masculine plural of adjectives ending in -au and in -x.

E. ONE. French expresses " people go, you go, one goes," by
on with 3rd Person Singular of verb. (An " l " may be
inserted before " on " to avoid an awkward sound.
e.g. si l'on = if one.)

  e.g. On va à l'église. One goes to church.

F. Note that the Group I verb " jeter " (*to throw*) doubles the
" t " before a mute syllable in the Present Tense.

je jette	nous jetons
tu jettes	vous jetez
il (elle) jette	ils (elles) jettent

VOCABULARY

le bœuf	beef (ox)	la balle	ball
le chien	dog	la banlieue	outer
l'escalier (m.)	staircase		suburbs
l'étage (m.)	storey	la bonne	maid
le fond	bottom, end	la chambre	
le jardin	garden	à coucher	bedroom
les meubles		la cheminée	chimney
(m.)	furniture	la cuisine	kitchen
le potage	soup	la dent	tooth
		la haie	hedge

le rez-de-chaussée	ground-floor	l'herbe (f.)	grass
		la pelouse	lawn
le toit	roof	la plate-bande	flower-bed
le vestibule	hall	la pomme de terre	potato
aimer	to like	la salle de bain	bathroom
jouer	to play		
obéir	to obey	bon (f. bonne)	good
préparer	to prepare	chaque	each
punir	to punish	confortable	comfortable
saisir	to seize	délicieux	delicious
*sortir	to go out	élégant	elegant
travailler	to work	entouré (de)	surrounded (by)
trouver	to find	fier	proud
à côté	at the side	frais (f. fraîche)	fresh
au milieu	in the middle	gentil (f. -lle)	nice
c'est	it is	haut	high
comment?	how?	large	broad
de	of, from	long (f. longue)	long
dix	ten	premier	first
entre	between	rôti	roast
quand	when	situé	situated
très	very	vieux (f. vieille)	old

Note the following abbreviations:

M. (Monsieur)	Mr.
Mme (Madame)	Mrs.
Mlle (Mademoiselle)	Miss

LA MAISON ET LE JARDIN

La belle maison de M. Dubois est située dans la banlieue, à dix kilomètres de Paris. C'est une grande maison blanche. Au milieu du toit rouge il y a une haute cheminée. Il y a un garage à côté.

Au rez-de-chaussée il y a un vestibule, une petite salle à manger, un salon élégant, et une cuisine.

La vieille bonne travaille dans la cuisine, où elle prépare le dîner : un potage délicieux, du boeuf rôti avec des pommes de terre, du fromage, et des fruits. Elle choisit aussi un bon vin blanc pour M. Dubois.

On monte par un large escalier au premier étage, où il y a trois chambres à coucher et une salle de bain. Dans chaque chambre on trouve de jolis meubles. Les fenêtres ont des volets verts.

Derrière la maison il y a un joli jardin. Il y a de belles fleurs dans les longues plates-bandes près de la pelouse verte. Le jardin est entouré d'une haie épaisse.

A huit heures M. et Mme Dubois et leurs deux enfants finissent leur repas et sortent dans le jardin. Leur chien, Bijou, joue sur l'herbe fraîche avec une balle. Les enfants jettent la balle au fond du jardin, et Bijou saisit la balle entre ses dents. La famille Dubois aime le gentil Bijou, et on ne punit pas le vieil animal quand il n'obéit pas. Mme Dubois est très fière de son beau jardin.

QUESTIONS

1. Où est la maison de M. Dubois?
2. De quelle couleur est le toit?
3. Qu'est-ce qu'il y a au rez-de-chaussée?
4. Qui prépare le dîner?
5. Qu'est-ce que la bonne choisit?
6. Comment est-ce qu'on monte au premier étage?
7. Qu'est-ce qu'il y a dans chaque chambre?
8. Où est-ce qu'on trouve de belles fleurs?
9. Qui jette la balle du chien?
10. Comment Bijou saisit-il la balle?

EXERCISES

A. Replace the infinitive in brackets by the appropriate form of the verb :

1. Nous (finir) le repas. 2. (finir)-il le travail? 3. Je ne (finir) pas le livre. 4. Vous (jeter) le fruit. 5. Ils ne (obéir) pas toujours. 6. Il (jeter) la balle. 7. (punir)-vous le chien?

8. Nous (saisir) le chat.   9. Ils (sortir) dans le jardin.   10. Elle
ne (jouer) pas dans la maison.

B. Give the feminine of the following adjectives :
   large, situé, cher, bon, beau, heureux, doux, actif, long,
   blanc, cruel, vieux, parisien, rouge, sec, nouveau, frais,
   muet, gros, épais.

C. Make the adjectives in brackets agree with their nouns :
   une maison (blanc), un (beau) ami, de (bon) chambres,
   une haie (épais), l'herbe (frais), de (long) plates-bandes,
   une femme (fier), la (vieux) cheminée, des pelouses (vert),
   une pomme de terre (délicieux).

D. (a) Place the adjectives in brackets before or after
   their nouns, as required, and make the necessary
   agreement :
   1. (frais) l'herbe
   2. (beau) l'auto
   3. (nouveau) l'ami
   4. (fatigué) la mère
   5. (vieux) la maison
   6. (bon, confortable) une chambre
   7. (vert, premier) la maison
   8. (blanc, rouge) des fleurs
   9. (haut, noir) les cheminées
   10. (joli, petit) des jardins.

(b) Fill in suitable adjectives, making necessary agreement:
   1. — maison est —.
   2. Nous avons des fleurs — et —.
   3. Un — escalier monte au — étage.
   4. Les cheminées sont — et —.
   5. — amis sont —.

E. Translate :
   some good friends, an old animal, we punish sometimes,
   in the country, one throws a ball, some comfortable beds,
   near the pretty garden, at the end of the lawn, on the first
   floor, some bad wine.

F. Translate :

Our pretty house is situated in the middle of the country, (at) nine kilometres from Rouen. It has two storeys, and four chimneys, and it is surrounded by a broad hedge.

On the ground-floor you find a small entrance hall, a drawing-room, a dining-room, and a big kitchen where my mother or the maid prepares the meals.

You mount by a long staircase to the first storey, where there are three comfortable bedrooms and a white bathroom. Each bedroom has some fine furniture, and green shutters.

In front of the house there is a pretty garden, with a broad lawn and flower-beds. The flowers are very beautiful, and my father is proud of his green lawn. At the bottom of our garden our dog Bijou plays with his old ball in the thick grass. We seize and throw the ball, and he brings the little red ball between his teeth.

G. Write in French a few lines about :

(a) " Ma Maison," (b) " Mon Jardin," or (c) " Mon Chien."

un parterre de roses .

a flower bed of roses

sur on , les côtés (with
the sides

d'un côté

on one side .

un arbre a tree .

un arbuste ~~some bushes~~.

a bush.

de beaux
no s on de.

REVISION

(Lessons 1-5)

A. Translate :

they are, are you? have they? there are, is there? there is not, she is not, we are not, has he? they are giving, do I give? we do not speak, does she speak? I buy, he does not finish, we finish, does he choose? they go, does she go? they read, she does not read, you say, does he take? we take, I do not set out, do they set out? they throw, we throw, you buy.

B. Translate :

some water, some bread, some meat, some cups, the man's newspaper, the door of the house, the son's book, the windows of the rooms, Mary's friend, at the market, to the man, to the gardens, near the wall, a lot of dogs, too many plates, a glass of wine, his mother, her cat, our friends, their car.

C. Translate :

1. The little green book is on the drawing-room mantelpiece.
2. On the dining-room table there are plates and glasses.
3. I buy some fine red apples at the market.
4. Mary's mother wears a pretty white dress.
5. We finish our lessons and we go to the cinema.
6. Their friends have a lot of pencils, but few pens.
7. His car is not red ; it is black and green.
8. Her father goes to the office, and reads his letters.
9. Do you sell wine?   No, we have no wine.
10. The merchant's son is giving a basket to the old man.

D. Write in French a few lines about :

(a) Une Visite à la Ville
or (b) Notre Maison.

E. Answer in French the following questions, making a complete sentence in each answer:

1. Qu'est-ce qu'il y a dans le salon?
2. Qui est dans le salon?
3. Qu'est-ce qu'il y a sur la table de la salle à manger?
4. Où est-ce que Madame Dubois achète des pommes?
5. Qui est-ce qu'elle rencontre?
6. A quelle heure Monsieur Dubois part-il pour la gare?
7. Combien d'enfants a-t-il?
8. Où achetez-vous des timbres?
9. De quelle couleur sont les fleurs?
10. Comment est le jardin de Monsieur Dubois?

LESSON VI

GRAMMAR

A. Present Tense of Verbs ending in -RE. (*Group III, Regular Verbs.*)

Endings : **-s, -s, —, -ons, -ez, -ent.**

e.g. ven**dre** (*to sell*). Stem : vend-.

je vend**s** *I sell*	nous vend**ons**
tu vend**s**	vous vend**ez**
il (elle) vend	ils (elles) vend**ent**

Notes

(1) " prendre " (*to take*) is irregular (see Lesson IV) and its compounds " reprendre " (*to take again*), " surprendre " (*to surprise*), " apprendre " (*to learn*), " comprendre " (*to understand*), are conjugated similarly.

(2) When the verb stem does not end in " -d," a " t " is added to 3rd person singular.

e.g. rompre (*to break*), il rompt.

B. Irregular Plural Forms of Nouns and Adjectives

1. If the singular ends in **-s, -x, -z,** no change is made in the plural.

e.g.	le fils (*son*)	les fils
	le nez (*nose*)	les nez
	vieux (*old*)	vieux

2. Nouns and adjectives ending in **-au** and **-eu,** add **-x.**

e.g.	le couteau (*knife*)	les couteaux
	le feu (*fire*)	les feux
	beau (*beautiful*)	beaux

Note.—Exception to above rule :

	bleu (*blue*)	bleus

excep. bals carnivals festivals.

3. Nouns and Adjectives ending in **-al** change to **-aux.**

  e.g.   le journal (*newspaper*)   les journaux
            principal (*principal*)   principaux
  but principale (f.), pl. principales

4. A few nouns ending in **-ou** add **-x.**

  e.g.   le bijou (*jewel*)   le caillou (*pebble*)
            le chou (*cabbage*)   le joujou (*plaything*)
            le genou (*knee*)   le hibou (*owl*)

All other Nouns and Adjectives ending in -ou add -s.

  e.g.   le trou (*hole*)   les trous

5. The following irregular plurals must be learnt :

  Monsieur (*Mr.* or *gentleman*)   Messieurs (MM.)
  Madame (*Mrs.*)   Mesdames (Mmes)
  Mademoiselle (*Miss*)   Mesdemoiselles (Mlles)
  le ciel (*sky*)   les cieux
  l'œil (*eye*)   les yeux
  le travail (*work*)   les travaux

Note.—Proper names take no " -s " in the plural.
  e.g. les Smith   the Smiths

C. **ALL.** The adjective " tout " (*all*) is irregular in **the**
  masculine plural.

	Singular	*Plural*
Masculine	tout	tous
Feminine	toute	toutes

It precedes the article as in English.
  e.g. Tous les hommes   All the men.

" Tout " can also be used alone, as a pronoun, for " all,
everything " ; and " tous " and " toutes " are also used in
the plural as pronouns, placed after the verb.

  e.g. Tout est perdu $\begin{cases} \text{All is lost.} \\ \text{Everything is lost.} \end{cases}$

  Ils sont tous ici
  Elles sont toutes ici $\Big\}$ They are all here.

Note.—The final " s " of " tous " is pronounced when it
is a pronoun—but not when it is an adjective.

D. The Demonstrative Adjective (" This " or " That ")

	Singular (*this* or *that*)	*Plural* (*these* or *those*)
Masculine	ce	
	(cet before a vowel or mute " h ")	ces
Feminine	cette	

e.g.

ce chien	*this dog*	ces chiens
cet homme	*this man*	ces hommes
cette plume	*this pen*	ces plumes

Note.—For emphasis, or when two nouns are mentioned in comparisons, and it is essential to distinguish between them by using " this " and " that " or " these " and " those," we add -ci to the nouns for " this," " these " and -là to the nouns for " that," " those." These suffixes are formed from the adverbs " ici " (here) and " là " (there).

e.g. J'ai deux crayons : ce crayon-ci est noir, ce crayon-là est bleu.

I have two pencils : *this* pencil is black, *that* pencil is blue.

E. Voici (*here is, here are*) and Voilà (*there is, there are*) are used in conversation when pointing out some person or thing.

e.g. Voici mon père! Here is my father !

Voilà les livres! There are the books !

Note.—" il y a " (there is, are) is used in making a statement, but *not* when an object is pointed out.

F. Present Tense of Irregular Verbs " boire " (" to drink ") and " faire " (" to do " or " make ")

boire (*to drink*)	faire (*to do* or *make*)
je bois *I drink*	je fais *I do* or *make*
tu bois	tu fais
il (elle) boit	il (elle) fait
nous buvons	nous faisons
vous buvez	vous faites
ils (elles) boivent	ils (elles) font

G. The verb **faire** (*to make*) is used in expressions dealing with the weather (" le temps ").

e.g. Quel temps fait-il? — What is the weather like?
Il fait beau (temps) — It is fine (weather)
Il fait mauvais (temps) — It is bad (weather)
Il fait chaud — It is hot
Il fait froid — It is cold
Il fait jour — It is daylight (light)
Il fait nuit (noir) — It is night (dark)

VOCABULARY

le banc	bench, seat	la brioche	bun
le bateau	boat	la chose	thing
le canard	duck	la pâtisserie	pastry-shop
le cygne	swan	la promenade	walk
le gardien	keeper	la rive	bank
le gâteau	cake	la rivière	river
le gazon	turf	la vitesse	speed
le lac	lake		
le morceau	piece	au bord de	on the edge of
l'oiseau (m.)	bird	au bout de	at the end of, after
le pêcheur	fisherman		
le poisson	fish	au soleil	in the sun
le retour	return	comme	as
le tour	tour, trip	ensuite	next
		midi	midday
attendre	to wait	loin	far
attraper	to catch	pendant que	while
crier	to call out	pour	in order to
louer	to hire	qui	who, which (subject)
pêcher	to fish		
		regardez!	look (at)!
bleu	blue	tiens!	just look!
chaud	hot	voici!	here is, are!
clair	clear	voilà!	there is, are!
fâché	angry	Que fait-il?	What is he doing?
gris	grey		
méchant	naughty		
occupé (à)	occupied (in)		

NOTES

    un pain = a loaf
    un petit pain = a roll (round)
    un croissant = a roll (crescent-shaped)

Like

AU PARC

Comme il fait beau M. Dubois et M. Lebrun font une promenade avec leurs fils, Pierre et Paul, au parc qui est près de la maison de M. Lebrun.

Au milieu du parc il y a un petit lac, avec des bateaux. Les deux pères choisissent un banc confortable au bord de l'eau et, assis au soleil, ils lisent leurs journaux, pendant que leurs enfants louent un bateau pour faire un tour sur le lac.

Il fait très chaud, et au bout d'une heure ils entrent tous dans un café près du parc. Les garçons boivent une limonade, mais M. Lebrun prend un apéritif.

M. Dubois achète des croissants et des brioches dans une pâtisserie où l'on vend toutes sortes de gâteaux.

A leur retour ils vont ensuite à la petite rivière qui traverse le parc.

" Voici de beaux cygnes," crie Pierre, et il jette des morceaux de pain aux oiseaux. " Tiens, papa," dit Paul, " ce cygne-ci est blanc, mais ce cygne-là est gris. Et voilà de jolis canards bleus et bruns."

Deux vieux messieurs sur la rive sont occupés à pêcher. M. Dubois demande à un des pêcheurs : " Attrapez-vous beaucoup de poissons aujourd'hui ? " " Non, monsieur," répond-il. " Cette eau est trop claire."

Pendant qu'ils parlent le méchant Bijou fait des trous dans le gazon, et le gardien, qui arrive à cet instant, est très fâché. " Je vais punir ce chien," dit-il, mais Bijou n'attend pas. Il part à toute vitesse pour la maison. A midi tout le monde rentre déjeuner.

QUESTIONS

1. Quel temps fait-il aujourd'hui ?
2. Qui fait une promenade au parc ?
3. Qu'y a-t-il au milieu du parc ?

4. Qu'est-ce que les deux pères choisissent?
5. Que font leurs enfants?
6. Où est le café?
7. Qu'est-ce qu'on vend à la pâtisserie?
8. De quelle couleur sont les canards?
9. Que fait Bijou?
10. Le gardien du parc, aime-t-il Bijou?

EXERCISES

A. Replace the infinitive in brackets by the appropriate form of the verb :

1. Ils (vendre) du vin.
2. Je (répondre) au pêcheur.
3. Elle ne (boire) pas.
4. (boire)-nous du lait?
5. (faire)-il beau?
6. Il (attendre) le bateau.
7. (vendre)-nous des gâteaux?
8. Ils (boire) de l'eau.
9. Vous (faire) une promenade.
10. Nous ne (faire) pas ces choses.

B. Put into the plural :

madame, ce monsieur, le nouveau journal, il porte son chapeau gris, j'ai un vieux bateau, tu es mon fils, je regarde le beau ciel, il fait ce trou, elle a un caillou blanc. *elles ont des cailloux blancs.*

C. Fill in " ce, cet, cette " or " ces " appropriately :

— bateau, — rivière, — homme, — pêcheurs, — femmes, — ami, — lac, — bancs, — femme, — garçon.

D. Translate :

this boat, *that* river, all *these* cakes, *this* bird, *this* duck and *that* duck, we all (note position in French) go, it is very hot, on our return, he goes for (makes) a walk, at the edge of the lake.

E. Translate :

Mrs. Dubois goes for a walk with her children in the park. It is fine, and they hire a boat in order to go for a row on the lake. On their return they go to a kiosk where one sells many things, and, seated on the grass, they drink some lemonade. Mrs. Dubois also buys some rolls and some cakes.

" There is a pretty green duck," cries Mary, and she throws some pieces of bread to the bird.

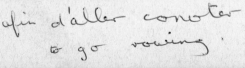

afin d'aller canoter
to go rowing.

" This swan is black," says her mother, " but that swan is white."

While they are looking at some old gentlemen who are fishing at the edge of the water, Bijou makes holes in the flower-beds.

At this moment the keeper arrives. He is very angry and he shouts : " What is this dog doing? Look at all these flowers." Bijou does not like this man ; he sets off at full speed while Mrs. Dubois talks to the keeper. *parle au gardien.*

F. Write in French a few lines about " Une Promenade."

LESSON VII

GRAMMAR

A. Personal Pronoun Objects of a Verb. (*Conjunctives, i.e. connected with Verb.*)

In English we say " I sell *it* " but the French say " I *it* sell," i.e. in French all personal pronoun objects must come *immediately before* the verb (except after the Imperative).

There are twelve personal pronoun objects which precede the verb, and the following table should be learnt by heart as soon as possible :

Table of Pronoun Objects

I.	me	*te	se	nous	vous
	{ me, to me }	{ you, to you }	{ See Lesson VIII }	{ us, to us }	{ you, to you }

2.		le	la	les
		{ him, it (m.) }	{ her, it (f.) }	(them) *direct*

3.		lui	leur
		(to him, to her)	(to them) *indirect*

4.	y (*there, to it (place)*)
5.	en (*some, any, of it, of them*)

neutral

It is very important to remember the order in which the above come (i.e. the order of a football or hockey team : 5 forwards, 3 halves, 2 backs, 1 goalkeeper, and 1 referee) since, though in English we can say either " I give it to you " or " I give you it," French *always* requires the order indicated in this table when there are two objects.

e.g	I sell it	je **le** vends
	He speaks to them	il **leur** parle
	I give you it ⎫	je **vous le** donne
	I give it to you ⎭	
	i.e. " vous " in line 1 comes before " le " in line 2.	

Use **en** with expressions of quantity.

e.g. j'en ai deux   I have two

* Use **te** only for relatives, close friends, children, animals.

55

NOTES

(1) **me, te** and **se** become **m', t'** and **s'** before a vowel or mute " h."

　e.g. il m'en donne　　　he gives me some
　　　je m'habille　　　　I dress myself

(2) The position of the pronoun object in negative and interrogative sentences is still *immediately* before the verb.

　e.g. *Neg.* Je ne **le** donne pas　I do not give it.
　　　Interrog. **Le** donnez-vous?　Do you give it?

(3) When a verb is followed by an infinitive, be careful to put pronoun object before the infinitive, of which it is obviously the object.

　e.g. I can see him　　Je peux **le** voir
　　　　　　　　　　　(*not* " je le peux voir ")

(4) The pronoun objects precede the expressions " voici " (here is, here are) and " voilà " (there is, there are), which are made by adding " ici " (here) and " là " (there) to the verb " voir " (to see), and which are used when pointing out people or things.

　e.g. Le voici!　　　Here he (it) is!
　　　Les voilà!　　　There they are!

B. The Imperative (Order or Command)

With the exception of a few Irregular Verbs (see verb table, page 212) the Imperative of all verbs is formed by dropping " tu," " nous " and " vous " of the Present Indicative, and by using the 2nd person singular and the 1st and 2nd person plural of the verb alone.

e.g.

	finir			vendre	
(tu)	finis	*finish*		vends	*sell*
(nous)	finissons	*let us finish*		vendons	*let us sell*
(vous)	finissez	*finish*		vendez	*sell*

But all " -er " verbs drop the final " -s " of the 2nd person singular.

e.g.

	donner			aller	
	donne	*give*		**va**	*go*
	donnons	*let us give*		allons	*let us go*
	donnez	*give*		allez	*go*

The 2nd person singular form is used only when addressing a relative, a close friend, child, or animal.

Note the Irregular Imperative of " avoir " and " être " :

avoir		être	
aie	*have*	sois	*be*
ayons	*let us have*	soyons	*let us be*
ayez	*have*	soyez	*be*

Note.—Final " -s " is not dropped in 2nd person singular of " aller " before the pronoun " y " (there) : e.g. vas-y! go there!

C. Position of Personal Pronoun Objects with Imperative

All personal pronoun objects are placed *after* an affirmative order, and joined to the verb by hyphens ; and the direct object must always be placed *before* the indirect object (to) when there are two pronoun objects. " En " is not considered a direct object and is always placed *last*.

e.g. Give it   Donnez-le
Give him them   Donnez-les (direct)   -lui (indirect)
Give some to us Donnez-nous-en

" Moi " and " toi " are written instead of " me " and " te " when in final position.

e.g. Give it to me   Donnez-le-**moi**
but Give me some Donnez-**m**'en

Negative orders do not follow this rule, however, but are treated as ordinary sentences, with pronoun objects in usual position and order.

e.g. Don't give it   Ne le donnez pas
Do not give them to me Ne me les donnez pas

venir (*to come*)*		voir (*to see*)	
je viens	*I come*	je vois	*I see*
tu viens		tu vois	
il (elle) vient		il (elle) voit	
nous venons		nous voyons	
vous venez		vous voyez	
ils (elles) viennent		ils (elles) voient	

* Similarly : " tenir " (*to hold*), " devenir " (*to become*).

Note.—venir **de** + Infinitive—to *have just* done something.
e.g. Je viens **de voir** mon ami   I have *just seen* my friend

VOCABULARY

l'album (m.)	album	l'Afrique du Nord	North Africa
le collectionneur	collector	la collection	collection
le Maroc	Morocco	la colonie	colony
le monde	world	l'enveloppe	envelope
l'oncle	uncle	la marque	make
le pays	country		
		absolument	absolutely
coller	to stick	avec plaisir	with pleasure
*envoyer	to send	donc	then
oublier	to forget	en train de	in the act of
		il faut	it is necessary to
aimable	kind		
anglais	English	merci	thank you
gentil	nice, kind	moi aussi	I too
jaune	yellow	s'il vous plaît	please
nouveau	new	tenez!	look here!
quelques	a few	tout de suite	at once
		vite	quickly
c.v. = chevaux-vapeur	H.P. = horse-power	vraiment	truly
		à deux heures	at, until two
		seulement	only

Les Collectionneurs de Timbres

PIERRE : Ah, vous voilà, Marcel. Je suis en train de coller
quelques timbres dans mon album. Je vais vous le
montrer. Regardez.

MARCEL : Moi aussi, je suis collectionneur. Vous avez de
beaux timbres des colonies anglaises. Je les aime beaucoup. Vous en avez du Maroc?

PIERRE : J'en ai trois ou quatre seulement. Où sont-ils?
Ah, les voici. Ils sont jolis, n'est-ce pas?

MARCEL : Mon oncle m'envoie souvent des timbres de l'Afrique
du Nord. Si vous les désirez, je vous les donne avec
plaisir. Tenez, en voici deux sur cette enveloppe. Les
désirez-vous?

PIERRE : Montrez-les-moi, s'il vous plaît. Oui, ils sont vraiment superbes, surtout ce timbre de 10 francs, bleu et
jaune.

MARCEL : Prenez-les donc. J'en ai d'autres.

PIERRE : Merci bien. Vous êtes bien aimable. Je vais les
mettre dans ma collection ce soir. Cet après-midi nous
avons l'intention d'aller voir mon grand-père, qui
demeure à Chartres. Nous y allons en auto. Notre
nouvelle auto est très belle. C'est une Renault, de 10
c.v. Mon père vient de l'acheter. Il faut nous accompagner. Mon grand-père a une collection magnifique de
timbres de tous les pays du monde. Il faut absolument
la voir.

MARCEL : Vous êtes bien gentil. J'accepte alors.

PIERRE : Bon. Maintenant, rentrez tout de suite. Dites à
vos parents que nous allons partir à deux heures. Deman-
dez-leur la permission de nous accompagner, et soyez vite
de retour. A deux heures. Ne l'oubliez pas.

MARCEL : Je vais la leur demander. A deux heures, alors.

Note.—French schoolboys (and schoolgirls) usually address
each other in the 2nd person singular (tu). At this stage,
however, the student is advised to use the 2nd person singular
only in exercises where relatives are addressing each other.

QUESTIONS

1. Qui est en train de coller des timbres dans son album?
2. Qui est aussi collectionneur?
3. Quels timbres Marcel aime-t-il beaucoup?
4. Qui envoie des timbres de l'Afrique du Nord?
5. Combien y en a-t-il sur l'enveloppe de Marcel?
6. Où est-ce que Pierre et son père ont l'intention d'aller?
7. Qui vient d'acheter une nouvelle auto?
8. De quelle marque est l'auto?
9. Est-ce que vous collectionnez les timbres?
10. Est-ce que les timbres anglais sont beaux?

EXERCISES

A. Replace the infinitive in brackets by the appropriate form of the verb :

1. Nous (venir) d'acheter.
2. Ils (venir) à Paris.
3. Je (venir) avec Pierre.
4. (Regarder) l'album.
5. (Finir) la lettre.
6. Elle (voir) son ami.
7. Vous (voir) les timbres.
8. Elles (voir) M. Dubois.
9. (Parler) à nos amis.
10. (Vendre) votre collection.

B. Replace the Nouns in italics by Pronoun Objects, and put them in their correct position :

e.g. Je vois *l'auto*.   Je *la* vois.

1. Je regarde *les timbres*.
2. Il envoie *à Pierre*.
3. J'invite *mon ami*.
4. Nous avons beaucoup *de timbres*.
5. Ils vont *à Chartres*.
6. Vous donnez *l'enveloppe*.
7. Regardez *cet album*.
8. Parlez *à mes amis*.
9. Ne demandez pas *la permission*.
10. Il donne *les timbres à Marcel*.

C. Give in full (2nd person singular, 1st and 2nd person plural) the Imperative of :

regarder, finir, faire, dire, être.

D. Translate :

(*a*) I give it, we have them, he sells to me, they speak to her, she goes there, you have some, I finish them, we give to them, here it is, there you are, are you speaking to him? they do not sell them, he sees me, she speaks to us, I have a lot of them.

(*b*) I give you it, he sells it to me, we speak of it to them, I show her them, they give me some, do you give it to me? we don't give them any, are you selling them to us? I wish to see you, we go to find them.

(*c*) Give it, sell to us, let us finish them, let us give to him, go there, sell it to me, give me some, don't take it, don't let us give any to them, don't tell me it.

E. Translate :

PETER : Come in, Marcel! I have just found my stamp-
album and I am sticking in some stamps.

MARCEL : Ah, I collect stamps too. Show it to me, please.

PETER : Here it is. Look at these stamps from Morocco.
My aunt often sends them to me. If you want some,
Marcel, I have a lot of them. Let's see. Here are three *En voici trois.*
of them. Do you want them? Take them, then.

MARCEL : Thank you very much. I am going to put them
in this envelope until this evening, when I intend to stick
them in my album.

PETER : Don't forget them. What are you doing this afternoon? My parents are going to Chartres by car. We
often go there. The cathedral* is beautiful. You must
(it is necessary to) see it. Go home quickly, and tell your
mother that you are going to accompany us.

MARCEL : You are very kind. I always ask her for permission. *Je lui demande toujours*

PETER : Be here at two o'clock then. *soyez*

F. Write in French a short conversation about a proposed
visit by car or bicycle (à bicyclette) to some person or place.

* la cathédrale.

LESSON VIII

GRAMMAR

A. Reflexive Verbs

When we say in English " I hurt myself " we are making the verb reflexive, i.e. the action turns back to the doer of the action.

French uses reflexive verbs more often than we do in English. Most reflexive verbs belong to Group I, i.e. their infinitive form ends in " -er," and they are conjugated like " donner."

The reflexive pronoun objects come, as we have already learnt, just *before* the verb. Reflexive verbs have **se** (**s'**) (oneself) before their infinitive form.

e.g. **se** laver (*to wash oneself*)
je **me** lave   *I wash myself,*
tu **te** laves   *etc.*
il (elle) **se** lave
nous **nous** lavons
vous **vous** lavez
ils (elles) **se** lavent

Note that " se " is both singular (" himself, herself, itself ") and plural (" themselves ").
All reflexive pronouns can also be indirect objects.
e.g. je me dis
     I say *to* myself.

Negative : je ne me lave pas
Interrogative : nous lavons-nous?
      or   est-ce que nous nous lavons?

NOTES

(1) The reflexive form of a verb may also be used to express " each other," " one another."

e.g. Ils se parlent   They speak to each other, to one another.

Ils se regardent   They look at each other, one another.

62

(2) It must be clearly understood that many verbs have an ordinary as well as a reflexive form, the ordinary form being required when the object is not reflexive.

e.g. lever *(to lift)*,   se lever *(to get up)*,
           raise   *raise oneself*
       je lève la main   je me lève
       I raise my hand   I get up (raise myself)

(3) Many verbs which are not reflexive in English are reflexive in form in French.

e.g. s'approcher de *(to approach)*
       s'écrier *(to cry out)*
       je m'approche de la maison
       I approach the house

(4) See that the correct reflexive pronoun object is used before an infinitive.

e.g. Nous allons *nous* coucher *(not* " se coucher ")
       We are going to bed

Reflexive Verbs—Imperative

The Imperative of Reflexive verbs can now be learnt :

e.g. se laver *(to wash oneself)*

       lave-toi   *wash (yourself)* !
       lavons-nous   *let us wash (ourselves)* !
       lavez-vous   *wash (yourself or yourselves)* !

Negative

       ne te lave pas   *don't wash (yourself)* !
       ne nous lavons pas   *etc.*
       ne vous lavez pas   *etc.*

B. Formation and Position of Adverbs

1. *Formation*

Many adverbs can be formed by adding **-ment** to the feminine singular form of an adjective.

e.g. doux (f. douce) *(soft)*   doucement *(softly)*

If the masculine singular form of the adjective already ends in a vowel " -ment " is added to this.

e.g. vrai (*true*)   vraiment (*truly*)

NOTES

(*a*) Adjectives ending in -ant and -ent usually change the ending to -amment and -emment to form the adverb.

e.g. évident (*evident*)   évidemment (*evidently*)

Exception : lentement (*slowly*)

(*b*) A few adjectives add an acute accent to the " e " of the feminine when forming the adverb.

e.g. profondément (deeply)

(*c*) Learn these important exceptions :

Adjective	Adverb
bon (*good*)	bien (*well*)
petit (*little*)	peu (*little*)
mauvais (*bad*)	mal (*badly*)

(*d*) In a few phrases adjectives are used with adverbial meaning.

e.g. je travaille dur (*I work hard*)
je crie haut (*I call out loudly*)

2. *Position of Adverbs*

In French adverbs must be placed immediately *after* the verb.

e.g. I often go . . .   Je vais souvent . . .

Note.—When emphasis is required they may be placed at the beginning of a sentence.

e.g. Softly I advance.   Doucement je m'avance.

C. Present Tense of Irregular Verbs "ouvrir" ("to open"), mettre ("to put")

ouvrir (*to open*)*	mettre (*to put*)
j'ouvre *I open,*	je mets *I put,*
tu ouvres *etc.*	tu mets *etc.*
il (elle) ouvre	il (elle) met
nous ouvrons	nous mettons
vous ouvrez	vous mettez
ils (elles) ouvrent	ils (elles) mettent

* Similarly: "couvrir" (*to cover*).

VOCABULARY

le bruit	noise	l'aventure	adventure
le cambrioleur	burglar	la canne	walking-stick
le coup	blow	la pendule	clock (small)
les devoirs (pl.)	homework	la pointe	point, tip
le frère	brother	la robe de chambre	dressing-gown
(le) minuit	midnight		
le pied	foot	la tête	head
le soir	evening		
le soulier	shoe	blessé	injured
le tiroir	drawer	dur	hard
		fini	finished
s'approcher (de)	to approach	mystérieux	mysterious
s'avancer	to advance	ouvert	open
se coucher	to go to bed	quelque	some
descendre	to go down		
*dormir	to sleep	attentive-ment	attentively
écouter	to listen		
crier	to call out	brusquement	abruptly
*s'endormir	to fall asleep	certainement	certainly
entendre	to hear	doucement	softly
frapper	to strike	en bas	down below
s'habiller	to dress	encore	again
se lever	to get up	là-bas	down there
se passer	to take place	mais	but
ramasser	to pick up	parce que	because
remarquer	to notice	peut-être	perhaps
rendre	to give back	pourquoi?	why?
se retourner	to turn round	profondé-ment	deeply
se réveiller	to wake up		
verser	to pour out	quelqu'un	someone
silencieuse-ment	silently	tout de suite	immediately, at once
simplement	simply	vers	towards
toujours	always, still	vite	quickly
tout à coup	suddenly	avoir soif	to be thirsty

LE CAMBRIOLEUR

Cette aventure se passe un soir à la maison des Dubois.

Pierre a beaucoup de devoirs ce soir. Il travaille dur, et quand ils sont finis à neuf heures il se couche et s'endort immédiatement.

Il dort profondément, mais à minuit il se réveille brusquement.

Qu'est-ce qui le réveille? C'est un bruit en bas. Il écoute attentivement—il l'entend encore.

Il se lève, met sa robe de chambre, et va trouver sa sœur dans la chambre à coucher voisine.

Il en ouvre doucement la porte, la réveille, et lui dit :

"Lève-toi! Il y a quelqu'un en bas dans le salon ou dans la salle à manger. C'est peut-être un cambrioleur. Je vais descendre."

" Je vais t'accompagner," répond-elle, et elle s'habille vite.

Ils descendent l'escalier sur la pointe des pieds, et arrivent enfin au vestibule.

" Où est la canne de papa? " demande Pierre à Marie. " La voilà dans le coin, là-bas," répond sa sœur, et elle la lui donne.

Son frère la saisit et ils s'avancent silencieusement vers la salle à manger, d'où sort toujours un bruit mystérieux.

La porte est ouverte. Devant le buffet il y a un homme qui cherche évidemment quelque chose dans un tiroir.

Les deux enfants attendent un moment. Pierre est sur le point de lui donner un coup de canne sur la tête quand l'homme se retourne.

Ils se regardent un instant. Les enfants s'écrient : "C'est papa ! " " N'ayez pas peur, mes enfants," s'exclame M. Dubois. " Je cherche simplement quelque chose à boire, car j'ai bien soif."

Il ouvre le buffet, en sort une bouteille de limonade et leur en verse à boire, puis, comme il a peur de réveiller sa femme, il leur dit : " Ne faites pas de bruit. Couchons-nous tout de suite."

QUESTIONS

1. Où se passe cette aventure?
2. Pourquoi Pierre travaille-t-il dur?

3. A quelle heure finit-il ses devoirs?
4. Qu'est-ce qu'il fait alors?
5. Qu'est-ce qui le réveille?
6. Que fait-il alors?
7. Qu'est-ce qu'il dit à sa sœur?
8. Où est le cambrioleur?
9. Qui est-ce?
10. Qu'est-ce qu'il donne aux enfants?

EXERCISES

A. Replace the infinitive in brackets by the appropriate form of the verb :

1. Elle (ouvrir) la porte.
2. Nous (mettre) nos chapeaux.
3. Vous (ouvrir) la lettre.
4. Ils (mettre) leurs souliers.
5. Elle (s'habiller) vite.
6. Nous (se coucher) tout de suite.
7. Ils (se lever) à huit heures.
8. Vous (se laver) le matin?
9. Nous ne (se parler) pas souvent.
10. Je (se réveiller) à minuit.

B. Translate :

they see each other, they speak to one another, he doesn't get up, do you wake up? let's get up, wash yourself, wake up, let us dress, don't get up, don't go to bed (2nd sing.).

C. Form Adverbs corresponding to the Adjectives :

vrai, bon, facile, doux, petit, évident, profond, mauvais, rare, premier.

D. Translate :

quickly, down below, suddenly, early, at once, soon, we often go, he works hard, we slowly advance, you work little.

E. Translate : font Deurs.

The children are doing their homework. There is a clock on the mantelpiece. Mrs. Dubois looks at it, then she says to them : " Go to bed now. It is late, and I am very tired. Father is working hard in the library."

Mrs. Dubois and the children go to bed, and soon fall asleep. Suddenly Mrs. Dubois wakes up. She hears a noise below in

le met   et

the garden.   She looks for her dressing-gown, puts it on, and
approaches the window.   She opens it softly and listens.   She
hears it again.

At that moment Mr. Dubois hears it too.   He goes out into
the garden.

His wife says to herself : " There it is again.   It is certainly
a burglar who is down there."   She quickly picks up a shoe
and throws it.   The shoe strikes him on the head.

He calls out, " Don't be alarmed.   It is your husband."

Then Mr. Dubois sees his wife's shoe.   He picks it up and
gives it back to her.

et le lui remet.

F. Relate briefly in French, from memory, the story : " Le
Cambrioleur."

*sa femme se dit

est le jette

& throws it

s'en faire
don't worry.

GRAMMAR

A. Numerals from 1 to 60

Cardinal	*Ordinal*
1 un (f. une)	1st **le premier, la première**
2 deux	2nd le (la) deuxième : *le second, la seconde* (of **two**)
3 trois	3rd le (la) troisième
4 quatre	4th le (la) quatrième
5 cinq	5th le (la) cinquième
6 six	6th le (la) sixième
7 sept	7th le (la) septième
8 huit	8th le (la) huitième
9 neuf	9th le (la) neuvième
10 dix	10th le (la) dixième
11 onze	11th le (la) onzième
12 douze	12th le (la) douzième
13 treize	13th le (la) treizième
14 quatorze	14th le (la) quatorzième
15 quinze	15th le (la) quinzième
16 seize	16th le (la) seizième
17 dix-sept	17th le (la) dix-septième
18 dix-huit	18th le (la) dix-huitième
19 dix-neuf	19th le (la) dix-neuvième
20 vingt	20th le (la) vingtième
21 vingt et un	21st le (la) vingt et **unième** (*not* " premier ")
22 vingt-deux, etc.	22nd le (la) vingt-deuxième, etc.
30 trente	30th le (la) trentième
40 quarante	40th le (la) quarantième
50 cinquante	50th le (la) cinquantième
60 soixante	60th le (la) soixantième

The Numerals are completed in Lesson XI.

1. *Cardinals*

Hyphens are used to join two numbers from 17 to 99, except in 21, 31, 41, 51, 61, 71, when " et " is used.

2. *Ordinals*

Add **-ième** to the Cardinal numbers, with the exception of " first," but any cardinal ending in " -e " drops this in forming the ordinal.   Note : " cinquième," " neuvième."

All ordinal numbers come before the noun, and agree like ordinary adjectives.

e.g. le deuxième livre   the 2nd book
     la troisième classe   the 3rd class

B. TIME

Quelle heure est-il?   What time is it?
Il est . . .   It is . . .

After the half-hour use **moins** (less), and subtract the number of minutes from the next hour.

deux heures

trois heures
moins cinq   deux heures cinq

trois heures
moins dix   deux heures dix

trois heures
moins **le quart**   deux heures
                                        et quart

trois heures
moins vingt   deux heures vingt

trois heures
moins vingt-cinq   deux heures vingt-cinq

                    deux heures
                    et demie

The word " minutes " is always omitted.

NOTES

(1) 12 a.m. midi   12.30 p.m. midi et demi
    12 p.m. minuit   12.30 a.m. minuit et demi

(2) When referring to times of trains, 'planes, etc., " heures " may be followed by the number of minutes right round the clock.

    e.g. le train de deux heures quarante   the 2.40 train

(3) The 24-hour clock is used to indicate times of trains.

    e.g. le train de 16 h. 50   the 4.50 p.m. train

(4) " a.m." and " p.m." are indicated thus :

3 a.m.	trois heures du matin
2 p.m.	deux heures de l'après-midi
8 p.m.	huit heures du soir

(5) Note the following :

	une demi-heure	half an hour (" demi " never agrees before a hyphen)
but	une heure et demie	an hour and a half
	un quart d'heure	a quarter of an hour
	à six heures précises	at exactly 6 o'clock
	vers six heures	at about 6 o'clock

C. CALENDAR

Seasons, Months, Days are all masculine, and all begin with a small letter.

Seasons (Les Saisons)

le printemps	*spring*	*Note.—In* spring = au printemps
l'été	*summer*	In summer, autumn, winter = en été, en automne,
l'automne	*autumn*	en hiver
l'hiver	*winter*	

Months (Les Mois)

janvier	*January*	juillet	*July*	*Note.—*
février	*February*	août	*August*	In May
mars	*March*	septembre	*September*	= en
avril	*April*	octobre	*October*	mai, or,
mai	*May*	novembre	*November*	au mois
juin	*June*	décembre	*December*	de mai

Note.—1st January = le 1er janvier (le premier janvier) but *all* other dates employ the *cardinal* numbers, e.g. 2nd January = le 2 janvier (le deux janvier)

Days (Les Jours)

dimanche	*Sunday*	*Note.*—On Sunday, etc.
lundi	*Monday*	(1) dimanche (" on " is omitted)
mardi	*Tuesday*	(2) On Sundays, le dimanche
mercredi	*Wednesday*	(3) Every Sunday tous les dimanches
jeudi	*Thursday*	
vendredi	*Friday*	(4) On Sunday mornings le dimanche matin
samedi	*Saturday*	

NOTES

(1)

le matin	*in the morning*	" in " is omitted in French
l'après-midi	*in the afternoon*	
le soir	*in the evening*	
la nuit	*at night*	

but (toute) la matinée   *the whole morning*   duration
      (toute) la soirée   *the whole evening*   of
      (toute) la journée   *the whole day*   time
      (toute) l'année (f.)   *the whole year*

(2) l'année dernière (prochaine)   *last (next) year*
    but " l'an " (m.) is used with numbers in most cases.
       e.g. Quel âge a-t-il?   Il a vingt ans.
         How old is he?   He is 20.
        (" avoir " is used to express age)
    Note also : Il est âgé de vingt ans.
              He is 20 years of age, aged 20.

D. **Present Tense of Irregular Reflexive Verb " s'asseoir "** (" to sit down ")

je m'assieds	*I sit down,*	nous nous asseyons
tu t'assieds	*etc.*	vous vous asseyez
il (elle) s'assied		ils (elles) s'asseyent

E. The verb " commencer " (*to begin*) and any other verb with infinitive ending in -cer requires a cedilla before the ending " -ons," e.g. nous commençons.

VOCABULARY

l'âge (m.)	age	la carte	card
le billard	billiards	la fin	end
le café	café	l'habitude (f.)	habit
l'élève (m. or f.)	pupil		
		la leçon	lesson
le jour	day	la mer	sea
le lycée	school (secondary)	la plage	beach
		la saison	season
le mois	month	la ~~salle de~~ classe	classroom
l'orchestre (m.)	orchestra		
		la semaine	week

| le professeur | teacher | la terrasse | terrace |
| le roman | novel | les vacances | holidays |

*s'en aller	to go off, away	intéressant	interesting
s'amuser	to enjoy or amuse oneself	précis	exact
se baigner	to bathe	de	from or of
se laver	to wash	de deuxième (classe)	of Class II
se promener	to walk		
se raser	to shave	en	in (seasons, months)
se reposer	to rest		
		en seconde	in a second-class carriage
*faire un tour en auto	to go for a run by car		
*faire visite à	visit	en vacances	on holiday
jouer à	to play at (games)	presque	almost
		quelquefois	sometimes
jouer de	to play (musical instruments)	si (s'il)	if (if it)
		toujours	always

| le combien *or* quelle date | sommes-nous? | What is the date? | C'est aujourd'hui le quinze mai | Today is the fifteenth of May |

LES HABITUDES DES DUBOIS

Pendant presque toute l'année M. Dubois se lève de bonne heure, à sept heures précises. Il se lave, se rase, et s'habille ; puis il descend prendre le petit déjeuner à huit heures moins le quart.

A huit heures et demie il part pour la gare. Il voyage toujours en seconde. Il rentre le soir par le train de cinq heures vingt.

En hiver il passe la soirée à lire un roman intéressant, à jouer du piano, ou à écouter la radio ; en été il travaille au jardin. Le jeudi, toute la famille va généralement au cinéma ou au théâtre.

Le dimanche matin M. et Mme Dubois et leurs enfants vont à l'église, pendant que la bonne prépare le déjeuner. Ils déjeunent à midi et demi. L'après-midi M. Dubois joue quelquefois au tennis ; s'il fait mauvais temps, il se repose dans un fauteuil ou il joue aux cartes. A huit heures du soir il s'en va au café pour jouer au billard ; il se couche à onze heures et quart.

Au mois d'août la famille part en vacances. M. Dubois choisit toujours Chose-sur-Mer, parce qu'ils aiment tous le bord de la mer.

Le matin ils se baignent et s'amusent sur la plage ; l'après-midi ils font un tour dans leur auto ; après le dîner ils s'asseyent sur la terrasse de l'hôtel, où joue tous les soirs un petit orchestre.

A la fin des vacances, le 1er ou le 2 septembre, les enfants rentrent au lycée. Marie a seize ans ; elle est élève de deuxième ; Pierre a quatorze ans ; il est élève de quatrième. Les classes commencent à neuf heures moins cinq. Il y a quinze salles de classe, vingt et un professeurs, et dans chaque classe il y a de trente à trente-cinq élèves.

QUESTIONS

1. En quelle saison allez-vous au bord de la mer?
2. Quel jour de la semaine est-ce aujourd'hui?
3. Quelle date sommes-nous?
4. Combien de jours y a-t-il au mois de janvier?
5. A quelle heure vous levez-vous le matin?
6. A quelle heure vous couchez-vous le soir?
7. Que fait M. Dubois le soir?
8. Qu'est-ce qu'il fait le dimanche matin?
9. Quel âge avez-vous?
10. Est-ce que vous jouez au tennis, ou au billard?

EXERCISES

A. Translate :

she wakes up, we go to bed, they wash themselves, he sits down, do you (vous) sit down? we do not rest, he gets up, do they bathe? they sit down, does she go to bed?

B. Translate :

15, 40, 51, 19, 13, 60, 36, 14, 21, 16, the 1st week, the 5th day, the 9th year, the 12th hour, the 21st minute.

C. Translate :

12 p.m., 12.30 p.m., 9.10, 8.15, 3.30, 4.45, 11.50 a.m., 6.55, 2 p.m., half an hour, a quarter of an hour, about 1 o'clock, at exactly 10 o'clock, the 5.40 p.m. train, at 7 o'clock in the evening.

D. Translate :

in winter, in spring, last summer, August, in April, June 1st, February 20th, Wednesday, on Saturday, every Tuesday, next Thursday, in the evening, last year, how old are you? I am 25.

E. I am 16 and I live in a little village in (à) the country, (at) 30 kilometres from Paris.

I usually wake up early, at 6.45, and I have breakfast with my parents at 7.30.

I leave for school at 7.50, and I often go in my father's car. I am a pupil in the second (class), and we begin our lessons at 8.15 in the morning, and we work until (jusqu'à) 12 a.m.

After lunch we work until 4.20 In the evening I often have a lot of homework ; on Thursday evenings I always go with my mother to the cinema, but my father goes off to the village café to play cards or billiards.

On Sundays I play tennis in the afternoon, if it is fine, or I read a novel if it is bad weather. After dinner I generally listen to the wireless.

In August we go on our holidays. We all like the seaside, and my parents always choose Chose-sur-Mer.

Every morning I bathe, but sometimes in the afternoon we go for a run in the car in the country.

I enjoy myself very much at the seaside ; I return to school on September 5th.

F. Write in French a few lines on " Mes Habitudes."

LESSON X

GRAMMAR

A. Countries, Inhabitants and Languages

A list of countries, inhabitants and languages in French is given in Appendix B on page 233.

Most countries are feminine in French. Countries and inhabitants are written with an initial capital letter, but languages and adjectives of nationality are written with an initial small letter, e.g.

Le Pays (*Country*)	*L' Habitant* (*Inhabitant*)
l'Angleterre (f.) (*England*)	l'Anglais (*the Englishman*)
la France (*France*)	le Français (*the Frenchman*)

The Feminine forms are obtained by following the usual rule for adjectives, e.g.

l'Anglaise	the Englishwoman
les Anglais	the Englishmen
les Anglaises	the Englishwomen

From the Inhabitant both the Language and the Adjective can be obtained, simply by replacing the initial capital letter by a small letter, e.g.

j'aime l'anglais	I like English
un chien anglais	an English dog

(Adjectives denoting nationality always follow the noun.)

Note carefully the following special points :

(*a*) *Feminine Countries, Continents, Provinces*

             " to " or " in "   **en**

   e.g. en France   to France, in France

      " from "   **de (d')**

   e.g. il vient de France   he comes from France

      Titles : le roi de France   the King of France

(*b*) *Masculine Countries, Provinces*

             " to " or " in "   **au** (pl. **aux**)

   e.g. au Japon   to Japan, in Japan

      aux États-Unis   to *or* in the United States

" from "   **du** (pl. **des**)

e.g. du Canada   from Canada
     des États-Unis   from the U.S.A.

Titles : L'empereur du Japon   the Emperor of Japan

(c) *Languages*

(1) " le " is omitted with the verb " parler "
e.g. je parle français   I speak French
but j'aime le français   I like French

(2) " in "   **en**
e.g. répondez en français   answer in French

(3) un professeur de français   a teacher of French
    un professeur français   a teacher of French
                                  nationality

(d) *Towns*

" in " or " to "   **à**

e.g. à Londres   in, to, London

" from "   **de**

e.g. de Paris   from Paris

(e) If a country or town is qualified by an adjective, write
    simply **dans** for " in."

e.g. dans le beau Canada   in beautiful Canada
     dans l'Afrique du Nord   in North Africa
     dans le vieux Paris   in old Paris

B. Phrases with " avoir "

" Avoir " (*to have*) is used in French in many common
phrases where English uses " to be."

e.g. avoir chaud   *to be hot*
     avoir froid   *to be cold*
     avoir faim   *to be hungry*
     avoir soif   *to be thirsty*
     avoir envie de   { *to want to*
                        { *to be anxious to*
     avoir peur   *to be afraid*
     avoir raison   *to be right*
     avoir tort   *to be wrong*
     avoir besoin (de) *to be in need (of)*

C. 1. A is omitted in French when one is stating nationality, profession or occupation.

> e.g. il est Français   he is a Frenchman
> il est soldat   he is a soldier

   2. THE is used for parts of the body, when it is quite clear who the possessor is.

> e.g. il ouvre la bouche   he opens his mouth
> elle a les yeux bleus   she has blue eyes

D. 1. Regular verbs of Group I whose infinitives end in **-ayer**, **-eyer**, or **-oyer**, change **y** to **i** before a mute syllable. With **-ayer** verbs this change is optional.

   2. " Appeler " (*to call*) and " s'appeler " (*to call oneself, to be called*) double the " l " before a mute syllable.

payer (*to pay*)	appeler (*to call*)
je paie, paye	j'appelle
tu paies, payes	tu appelles
il paie, paye	il appelle
nous payons	nous appelons
vous payez	vous appelez
ils paient, payent	ils appellent

   3. Verbs whose infinitives end in **-ger** (e.g. manger, voyager) insert an **e** after the **g** before **a, o, u,** to make the " g " soft.

> e.g. nous mangeons   we eat

VOCABULARY

le bifteck	beefsteak	l'addition (f.)	bill
le bout	end	l'Asie (f.)	Asia
le bras	arm	la bière	beer
le Chinois	Chinese	la bouche	mouth
le commerçant	merchant	la Chine	China
le compatriote	compatriot	la chose	thing
le doigt	finger	la feuille	leaf
l'estomac (m.)	stomach	la mésaven-	misadventure
les États-Unis	United States	ture	
le Japon	Japan		
Londres	London	content	pleased
le papier	paper	drôle	funny

le pâté	pie	étroit	narrow
le poulet	chicken	fait	made
		frit	fried
agiter	to wave	jeune	young
avoir mal	to have a pain	nouveau	new
commander	to order	(f. nouvelle)	
*comprendre	to understand	quelque	some
*découvrir	to discover	vide	empty
dessiner	to draw		
expliquer	to explain	bientôt	soon
goûter	to taste	comme	like, as
hocher	to shake	donc	so, therefore
indiquer	to indicate	ensemble	together
manger	to eat	ensuite	next
oublier	to forget	malheureuse-	unfortunately
perdre	to lose	ment	
sembler	to seem	par exemple	for example
voler	to fly	par hasard	by chance
		parce que	because

comment vous appelez-vous? } What is your name?
je m'appelle   my name is . . .

quoi — what
toujours — always, still

(Literally : " I call myself.")

Au Restaurant

M. Dubois a un ami qui est très riche.   Il est Anglais : il s'appelle M. Merchant, et il est commerçant.

M. Merchant voyage beaucoup.   Il voyage en Europe, aux États-Unis, et en Asie.   Il visite le Japon, et quand il part du Japon il arrive en Chine.

Il visite d'abord Pékin, et se promène dans les rues de cette ville ; enfin il se perd, et se trouve dans une petite rue étroite devant un restaurant chinois.   Il est fatigué, et il a faim, donc il y entre.

Il s'assied et appelle le garçon.   Malheureusement, M. Merchant ne parle pas chinois.   Il lui dit en anglais : " Apportez-moi, s'il vous plaît, quelque chose à manger—du canard ou du poulet, par exemple."

Le garçon ne le comprend pas.   M. Merchant prend alors une feuille de papier et y dessine un canard, mais en vain. Ensuite il lui fait des signes ; il ouvre la bouche et il y met le doigt, puis il se lève et agite les bras comme un oiseau qui vole. Le Chinois semble comprendre ; il s'en va.

Au bout de quelques moments le garçon lui apporte un pâté. L'Anglais en goûte un morceau, le trouve bon, et le mange.

Il désire découvrir de quoi il est fait.

Le garçon apporte enfin l'addition, et M. Merchant lui montre l'assiette vide, et dit : " Couac, couac? " pour lui demander si c'est du canard.

Le Chinois comprend tout de suite ; il hoche la tête et répond : " Ouah, ouah! " pour lui indiquer que c'est du chien.

Le voyageur comprend aussi.   Il a mal à l'estomac.   Il paie l'addition et sort à toute vitesse.

Dans la rue il rencontre par hasard un compatriote, et il lui explique sa mésaventure.

" Dites-moi vite, s'il vous plaît, où il y a un restaurant anglais dans cette ville," dit-il, " parce que j'ai envie de manger un bifteck, et de boire de la bière."

" Certainement, monsieur," répond-il.   " Je vais vous accompagner et je vais vous le montrer."

Ils partent ensemble et son nouvel ami dit bientôt : " Le voilà : entrons-y tout de suite."

M. Merchant est très content ; il oublie vite le pâté de chien, et commande un bifteck, des pommes de terre frites, et un verre de bière.

QUESTIONS

1. Comment s'appelle l'ami de M. Dubois.
2. Où voyage-t-il?
3. Pourquoi entre-t-il dans un restaurant chinois?
4. Qu'est-ce qu'il dit au garçon?
5. Quel signe fait-il au garçon?
6. Qu'est-ce que le garçon lui apporte?
7. De quoi le pâté est-il fait?
8. Qui est-ce qu'il rencontre dans la rue?
9. Comment vous appelez-vous?
10. Êtes-vous Français(e)?   Parlez-vous français?

EXERCISES

A. Translate :

he speaks to me, I have some, he sells to them, we show them to you, they go there, he gives it to me, I give some to her, take it! let's go there! bring me them! let us sell some to him! don't sell it! don't go there! tell it to me! don't tell it to me!

B. Translate :

in England, a Chinese, some Frenchmen, she is an Englishwoman, in Japan, from France, in Paris, to London, from Japan, to England, from Rouen, I speak French, a Chinese street, answer in English, I like English, he is called Charles, I am a soldier, you have brown hair, we are cold, they are thirsty.

C. Translate :

A young Frenchman, who is travelling in England, goes one day into a little restaurant in London.

He is hungry, and he wishes to order some beef with some potatoes and mushrooms.

He does not speak English, so he draws on a sheet of paper an ox, some potatoes, and a mushroom.

Then he calls the waiter and shows them to him. The waiter seems to understand ; he goes away and soon he brings (to) him beef and potatoes, but there are no mushrooms.

The Frenchman is not pleased. He shows him the mushroom on the sheet of paper, and says in French : " Bring me some, please."

The waiter goes out, and after some minutes he brings him an umbrella. " Here it is, sir," he says*. The Frenchman says to himself : " These English are truly funny." But the English waiter says to himself : " Why isn't he pleased? He draws an umbrella on a sheet of paper and I bring it to him."

The Frenchman gets up, pays the bill and goes out into the street.

D. Write in French, from memory, the story : " Le Restaurant."

* Translate " says he." In French, the verbs " say," " reply," etc., after spoken words always precede their subject.

REVISION

(Lessons 6–10)

A. Translate:

they are selling, do I sell? we drink, they are drinking, you make, do they make? he opens, I do not put, we eat, we begin, I get up, do you get up? they go to bed, he does not dress, we turn round, does he wash himself? she sits down, they sit down, they are coming, does he see? let us finish, sell, let us have, be good (sage), tell me.

B. Translate:

I sell it, we have some, they go there, she speaks to them, we give some to her, they tell us it, he sells them to me, let us finish them, sell it, give us them, give (2nd sing.) me some, get up, let us sit down, wash yourself (2nd sing.), don't do it, don't let us speak to them, don't get up, do it, do we eat some? do you see them?

C. Translate:

(a) 16, 39, 51, the 15th, the 1st, the 21st, at 12.30 p.m., ten past 6, a quarter to 9, five minutes to 8.

(b) in winter, in spring, in May, April 1st, July 14th, on Tuesday, every Sunday, in the afternoon, at 3 o'clock in the morning, good morning.

(c) in Spain, to England, in Japan, to Dover (Douvres), in London, a Frenchwoman, some Germans, he speaks Italian, answer in French, an English dog.

D. Translate:

these gentlemen, these women, this man, I am thirsty, we are hot, she is hungry, it is fine, it is very cold, he is a doctor, she has blue eyes.

E. Translate:

1. These stamps are blue, those stamps are grey.
2. Those old French castles are really very beautiful.

3. Mr. Smith often goes to France in summer.

4. My sister, who is sixteen, is arriving on Thursday from Nice.

5. Does she speak English?   No, she doesn't speak it well.

F. Write in French a few lines on one of the following subjects:
     (a) Mes Habitudes   (b) Ma Journée

G. Answer in French the following questions:
  1. Comment vous appelez-vous?
  2. Quel âge avez-vous?
  3. Où demeurez-vous?
  4. Quelle date sommes-nous?
  5. Quel temps fait-il aujourd'hui?
  6. Quelle heure est-il?
  7. Où passez-vous généralement les vacances d'été?
  8. Est-ce que vous jouez du piano?
  9. Jouez-vous au tennis ou au cricket?
 10. Aimez-vous le français?

GRAMMAR

A. Numerals (from 60 onwards)

Cardinals		*Ordinals*
61	soixante et un	Add
62, etc.	soixante-deux, etc.	-ième
70	soixante-dix	to
71	soixante et onze	Cardinals
72, etc.	soixante-douze, etc.	(Lesson VIII)
80	quatre-vingts	
81, etc.	quatre-vingt-un	
90	quatre-vingt-dix	
91, etc.	quatre-vingt-onze	
100	cent	
101	cent un	
200	deux cents, *but* 201 deux cent un	
1,000	mille	
2,000, etc.	deux mille	

NOTES

(1) There is no special word for 70 or 90. From 61 to 99 count by twenties, not by tens.

(2) 21, 31, 41, 51, 61, 71 take " et " ; 81, 91 have a hyphen and no " et."

(3) " Quatre-vingts " and " cents " (pl.) drop the " s " when a *number* follows them.

(4) " Mille " (thousand) never takes an " s," to avoid confusion with " un mille " (a mile).

e.g. deux mille   2,000
deux milles   2 miles

(5) Hyphens from 17 to 99 (excluding 21, 31, 41, 51, 61, 71) only ; no hyphen after " cent " or " mille."

e.g. 2242   deux mille deux cent quarante-deux

(6) The forms " septante ", " octante " or " huitante ", and " nonante " are often used in Belgium, Switzerland and S.E. France.

B. Collective Numerals, Measurements, etc.

1. *Collective Numerals*

There are several collective numerals which are nouns of quantity, followed by " de " : most are formed by adding **-aine** to the " round " numbers.

e.g. une dizaine de   *about* 10
    une vingtaine de   *about* 20
    une centaine de   *about* 100
    un millier de   *about* 1,000
    un million de   *a million*
    une douzaine de   *a dozen* (*about* 12)
    une quinzaine   *a fortnight* (*about* 15 *days*)
    une douzaine d'œufs   *a dozen eggs*
    des centaines de soldats   *some hundreds of soldiers*

but " about " + other numbers is translated by "environ."
e.g. about 25   environ vingt-cinq

2. *Measurements* are expressed by using " avoir " or " être."

(*a*) " *Avoir* " + *Noun*
    e.g. Cette boîte a 6 centimètres de long (or de longueur)
           sur 4 centimètres de large (de largeur)
           sur 2 centimètres de haut (de hauteur)
        This box is 6 cms. long by 4 cms. broad by 2 cms. high.

(*b*) " *Être* " + *Adjective*
    e.g. Cette boîte est longue, ou large, ou haute de 3 centimètres.
        This box is 3 cms. long, or broad, or high.

3. *Peculiarities*

(*a*) *Price*. At 10 francs a dozen   10 francs **la** douzaine
                             (" at " is omitted)

(*b*) *First*. The first six towns   les six premières villes
                             (" first " last !)

(*c*) *Multiplication*. $3 \times 5 = 15$: trois fois cinq **font** quinze.

(*d*) *Half*. 2½   deux et demi
        2.30 p.m.   deux heures et demie } Adj.
   but half the bread, half the men
    la moitié du pain, **la** moitié des hommes } Noun

4. *The Year* is expressed either as in English :
   e.g. in (the year) 1940
      en (l'an) dix-neuf cent quarante
   or by using " mil " instead of " mille "
   e.g. en mil neuf cent quarante
5. *Kings* follow the same rule as the date of the month :
   e.g. Louis I   Louis premier (Ier)
   but Louis II, etc.   Louis deux (II), etc.

C. Comparative and Superlative of Adjectives

Adjectives add **plus** (*more*) or **moins** (*less*) to form the Comparative ; and add **le (la) plus** (*most*) or **le (la) moins** (*least*) to form the Superlative : e.g.

	Comparative	*Superlative*
grand : {	un **plus** grand enfant	**le plus** grand enfant
	une **plus** grande enfant	**la plus** grande enfant
	(*a bigger child*)	(*the biggest child*)
intelligent : {	un enfant **plus** intelligent	l'enfant **le* plus** intelligent
	une enfant **plus** intelligente	l'enfant **la* plus** intelligente
	(*a more intelligent child*)	(*the most intelligent child*)

Exceptions

	Comparative	Superlative
bon (*good*)	meilleur	le meilleur
mauvais (*bad*)	pire	le pire
petit (*small*)	moindre	le moindre

" plus mauvais," " le plus mauvais " and " plus petit," " le plus petit " are also written.

e.g. (*People*) le plus petit garçon   the smallest boy
(*Abstract Nouns*) les moindres idées   the smallest ideas

NOTES

   (1) " Than "   **que**
         e.g. He is older than Charles
            Il est plus âgé **que** Charles

---

* Notice that " le (la) " must be *repeated* when the adjective is one which comes *after* its noun.

(2) " In " after a Superlative   **de**
    e.g. The best hotel *in* Paris
        Le meilleur hôtel de Paris

(3) " Than " before a Number   **de**
    e.g. More than twelve times
        Plus de douze fois

(4) Equality is expressed by **aussi** (*as*)

    e.g. Il est **aussi** grand que son père.
        He is as big as his father.
        After a negative **si** is usually employed instead
          of **aussi**.
        Il n'est pas **si** (*so, as*) grand que son père.

D. The article is omitted with a noun in apposition ; and
" de " is used alone in titles.
    e.g. Louis XIV, the King of France . . .
        Louis XIV, roi de France . . .

E. Present Tense of Irregular Verbs " connaître " (to know)
and " savoir " (to know) :

connaître*	savoir
je connais	je sais
tu connais	tu sais
il (elle) connaît	il (elle) sait
nous connaissons	nous savons
vous connaissez	vous savez
ils (elles) connaissent	ils savent

connaître is used when people or things are known (i.e.
recognised) by the senses, e.g. sight, hearing, touch, etc.
    e.g. Je connais Charles   I know Charles
        Il connaît bien Paris   He knows Paris well

savoir is used when referring to knowing facts, knowing as a
result of study, and knowing how to do something.
    e.g. Je sais qu'il est malade.   I know he is ill.
        Savez-vous où il demeure? Do you know where he lives?
        Je sais le français.   I know French.
        Il sait nager.   He knows how to swim.

      * Similarly all verbs in "*-aître.*"

VOCABULARY

l'arbre fruitier	fruit-tree	la beauté	beauty
		la Bretagne	Brittany
le blé	corn, wheat	la Grande Bretagne	Gt. Britain
le centre	centre		
le château	castle	la côte	coast
le départe-ment	department	la coutume	custom
		la ferme	farm
l'est (m.)	east	la fois	time
le fleuve	river (large)	l'histoire (f.)	history, story
le monde	world	l'île (f.)	island
le nom	name	la montagne	mountain
le nord	north	la partie	part
l'ouest (m.)	west	la province	province
le palais	palace	la tour	tower
le pont	bridge		
le produit	product	agricole	agricultural
le quai	quay	carré	square
le quartier	quarter, district	chaque	each
		court	short
le siècle	century	droit	right
le sommet	summit	élevé	high, elevated
le sud	south	étendu	extensive, large
le tombeau	tomb	gauche	left
le trajet	journey	industriel	industrial
		mort	dead
ajouter	to add	plat	flat
*couvrir	to cover	principal	principal, chief
s'élever	to rise (buildings, etc.)	à l'exception de	except
se diviser	to be divided	avant tout	chiefly
employer	to employ, use	pour	in order to
indiquer	to indicate	que (conj.)	that, than
manquer	to miss, fail	sans doute	doubtless
visiter	to visit	seulement	only
		souvent	often
		tout le monde	everybody

Note.—" Lyon," " Marseille."

LA FRANCE

Pour connaître les Français il faut connaître leur pays.

Vous savez, sans doute, que la mer qui sépare l'Angleterre de la France s'appelle la Manche, et que le trajet le plus court entre les deux pays, de Douvres à Calais, est de trente-cinq kilomètres seulement.

La France est le pays le plus étendu de l'Europe à l'exception de la Russie. Elle couvre plus de 550,000 kilomètres carrés, et elle est quatre fois plus étendue que la Grande Bretagne.

La France a 42 millions d'habitants. C'est, avant tout, un pays agricole, et la moitié de sa population est employée aux travaux des champs. Ses produits les plus importants sont le blé et le vin. Ses vins sont les meilleurs du monde.

Elle se divise, pour l'administration, en quatre-vingt-neuf " départements," mais on emploie souvent les noms des trente-deux " provinces " pour indiquer les régions principales.

Chaque province a son caractère, ses coutumes, et ses costumes traditionnels.

Dans le nord-est, la Flandre, province plate, est une des régions les plus riches de l'Europe, avec une douzaine de grandes villes industrielles.

Tout le monde connaît les vins de la Champagne ; la Normandie, avec ses fermes et ses arbres fruitiers ; et, dans l'ouest, la Bretagne, région de pêcheurs.

Dans le centre se trouvent la Touraine et ses châteaux ; et, dans l'est, la Savoie et ses montagnes, où le Mont-Blanc, sommet le plus élevé, a 4,800 mètres de haut.

Dans la France du Sud (qui s'appelle le Midi) se trouve la Provence, avec sa côte et son climat superbes.

Paris, Bordeaux, Lyon, et Marseille sont les quatre premières villes de France. Paris est situé sur la Seine, grand fleuve long de 600 kilomètres, qui ajoute beaucoup, avec ses quais et ses ponts, à la beauté de la capitale, centre depuis quinze cents ans de l'histoire de France.

La ville se divise en deux parties. La partie la plus importante est au nord, sur la rive droite, où se trouvent les Grands Boulevards, avec leurs magasins, leurs arbres, leurs cafés, et leurs milliers de touristes et de taxis ; l'Arc de Triomphe, l'Opéra et le palais du Louvre.

Au milieu de la Seine, sur une petite île, s'élève la Cathédrale de Notre-Dame.

Sur la rive gauche se trouvent le Quartier Latin, quartier de l'Université ; la Tour Eiffel, haute de plus de 300 mètres ; et le tombeau de Napoleon Ier, mort en 1821.

Et ne manquez pas de visiter le palais de Versailles, monument superbe du XVIIième siècle, et de Louis XIV.

QUESTIONS

1. Comment s'appelle la mer qui sépare l'Angleterre de la France?
2. Combien d'habitants a la France?
3. Quels sont ses produits les plus importants?
4. En combien de départements se divise-t-elle?
5. Combien de provinces y a-t-il?
6. Quels sont les noms de quatre régions importantes ?
7. Quelle est la hauteur du Mont-Blanc?
8. Combien de kilomètres de longueur a la Seine?
9. Où s'élève la Cathédrale de Notre-Dame?
10. Où se trouve le Quartier Latin?

EXERCISES

A. Translate :

61, 73, 80, 81, 94, 97, 100, 101, 300, 425, 1,000, 1,001, 5,000, 4,436, the 70th, the 81st, the 205th, the 1,000th, in the year 1950, in the year 1789.

B. Translate :

a dozen shops, about twenty tourists, about a hundred books, about 75, thousands of books, this street is 300 metres long, a mountain 2,000 metres high, this room is 5 metres long by 4 metres broad, 3½, half the country, 2 × 12 = 24, at 5 francs a dozen, the first three kings, Napoleon I.

C. Translate :

a bigger country, the biggest country, a better town, some finer shops, the finest streets, the best districts in Paris, a more important province, greener fields, the richest department in France, a less important province, the least rich region, as big as England, France is not as large as Russia, the smallest bridges, the worst ideas.

D. Translate :

I know France, he knows French, do you know Peter? we know that he is rich, they know the street, I know where he lives, he knows Paris, she knows how to swim, we know them, they know it (a fact).

E. Translate :

In order to know the English it is necessary to know their language and their country.

England is much smaller than France. It covers 130,000 square kilometres, and it has 45 million inhabitants. London, its biggest city, has more than 7 million inhabitants.

England is chiefly an industrial country, and many of its products are the best in the world.

It is divided into forty counties*, and each county has its character and its capital.

In the centre and in the north are to be found the most important industrial regions, with about twenty very large towns.

In the west are the counties of Devonshire, with its farms and its orchards, and of Cornwall, with its fishermen. Their coasts are the finest in England, and thousands of tourists go there in summer.

In the east, a flat region, are found the best agricultural districts.

The Thames (la Tamise), the most important river, which is 350 kilometres long, divides London into two parts. Most of the principal buildings in London are on the left bank. Do not fail to visit Hampton Court, the palace of Henry VIII, built in 1520.

*Note.—English counties are masculine, and take " dans " for " in."

> e.g. le (comté de) Devonshire   Devonshire
> dans le Cornouailles   in Cornwall

F. Write down in French, from memory, some interesting facts about France, or Paris.

LESSON XII

GRAMMAR

A. Relative Pronouns (" who," " which," " that "—relating back to persons, animals or things just previously mentioned).

Persons, Animals, Things

1. $\begin{cases} \textit{Subject} & \textbf{qui} \textit{ (who, which, that)} \\ \textit{Object} & \textbf{que} \textbf{(qu')} \textit{ (whom, which, that)} \end{cases}$

  e.g. *Subject :* L'homme ou le chien ou la table **qui** est ici

       The man or the dog or the table that is here

    Object : L'homme ou le chien ou la table **que** je vois (qu'il voit)

       The man or the dog or the table that I see (that he sees)

  (Note that " i " of " qui " never elides before a vowel or " h " mute, but that " e " of " que " always elides.)

2. *After Prepositions* **qui** is used for Persons, and **lequel** (f. **laquelle**) for Animals and Things ; but **dont** (whose, of whom, of which) can be used for Persons, Animals and Things, requires no alteration in spelling for agreement, and is used generally instead of " de qui " or " duquel."

 (*a*) *Persons* Preposition + " qui "

     of whom   dont (*or* de qui)
     to whom   à qui
     with whom, etc. avec qui

    e.g. The woman *of whom* I speak
      La femme **dont** je parle
      The men *to whom* I speak
      Les hommes **à qui** je parle

(b) *Things or Animals*

Preposition	+	*Singular*	*Plural*
which	{	(m.) lequel	lesquels
	{	(f.) laquelle	lesquelles
of which "dont" or	{	duquel	desquels
	{	de laquelle	desquelles
to which	{	auquel	auxquels
	{	à laquelle	auxquelles
with which, etc.	{	avec lequel	avec lesquels
	{	avec laquelle	avec lesquelles

e.g. The house *of which* I speak
La maison **dont** (**de laquelle**) je parle
The dog *to which* I speak
Le chien **auquel** je parle
The pen *with which* I write
La plume avec **laquelle** j'écris

NOTES

(1) In French " dont " must always come *immediately* after the noun to which it refers.

e.g. A house the door *of which* is open
Une maison **dont** la porte est ouverte

Notice the difference in the word order between English and French when using " dont."

English : The man *whose* son I know
French : L'homme **dont** je connais le fils

(Subject + Verb + Object.)

(2) If there is a preposition before the preceding noun one must use " de qui " or " duquel " for Persons, and " duquel," etc., for Things or Animals instead of " dont."

e.g. L'homme à l'adresse **de qui** (**duquel**) j'écris
The man to *whose* address (to the address of whom) I write
Le livre sur la page **duquel** j'écris
The book on the page *of which* I write

(3) " Lequel," etc., must be used for Persons to avoid ambiguity when two nouns are adjacent, the second governed by a preposition.

e.g. La mère du garçon **laquelle** est ici
The boy's mother *who* is here

(4) Never omit the relative pronoun in French, though it is often omitted in English.

e.g. L'homme **que** je vois   The man I see

(5) " Où " can be used for place or time, instead of " in which, at which, on which."

e.g. La maison **où** (dans laquelle) il demeure
The house *in which* he lives
Le jour **où** j'arrive   The day *on which* (when) I arrive

(6) After a preposition " which," when referring to an *idea* and not to a definite noun, is translated by **quoi**.

e.g. Je le frappe, après **quoi** il tombe.
I strike him, after *which* he falls.

(7) The prepositions " parmi," " entre " (*among*) take " lequel," etc., for persons as well as for things.

e.g. Les hommes parmi **lesquels** . . .
The men among *whom* . . .

(8) When " what " = " that which," and " that " = " that which," use the following :

$$Subject : \text{ce qui} \atop Object : \text{ce que} \Big\} \quad \text{that which}$$

e.g. *Subject :* Take *what* (that which) is in the **box**.
Prenez **ce qui** est dans la boîte.
Object : I hear *what* (that which) you say.
J'entends **ce que** vous dites.
All *that* (that which) he says
Tout **ce qu'**il dit

(9) Use " que " for " when," " as," after " un jour," " un soir," etc.

e.g. Un jour que nous   One day when (as) we were
travaillions   working

B. The Conjunction " que " (that)

The conjunction " que," which joins two clauses, must never be omitted in French.

> e.g. He says *that* we are lazy.
> Il dit **que** nous sommes paresseux.
> I think he is in London.
> Je crois **qu'**il est à Londres.

VOCABULARY

le bout	scrap, piece, end	la chose	thing
		l'injure	insult
le chef de train	guard	la valise	suitcase
le chemin de fer	railway		
le filet	luggage-rack	ingrate	ungrateful
le fourgon	luggage-van	omnibus	stopping
le numéro	number	seul	alone
le poing	fist	stupéfait	astounded
le pourboire	tip		
le quai	platform	dehors	outside
		paisiblement	peacefully
s'arrêter	to stop	par malheur	unfortunately
bouger	to move	profondément	deeply
*s'endormir	to fall asleep	sauf (preposition)	except
entraîner	to drag		
s'étonner (de)	to be astonished (to)	tant de	so much
		tout (adverb)	quite
expliquer	to explain	tout à fait	entirely
se hâter (de)	to hurry (to)	violemment	violently
manquer (de)	to fail (to)	dormir à poings fermés	to sleep like a top, deeply
oublier	to forget		
se rappeler	to remember		
rouler	to roll	reçoit	receives

UNE ERREUR D'IDENTITÉ

A la gare du Nord à Paris un voyageur monte dans un train omnibus qui est sur le point de partir pour Boulogne, met sa valise dans le filet, et appelle ensuite un porteur qui passe.

Il lui explique qu'il a l'habitude de dormir profondément quand il voyage en chemin de fer, et il lui demande de dire au chef de train de le réveiller à la gare de Choix, à laquelle il veut descendre. " Ne manquez pas de me faire descendre, même s'il faut me jeter dehors," ajoute-t-il.

Le porteur comprend, écrit sur un bout de papier le numéro du compartiment dans lequel il se trouve, reçoit un pourboire du voyageur, et part pour expliquer au chef de train ce qu'il faut faire.

Le monsieur s'installe dans le coin du compartiment, et s'endort tout de suite.

Le chef de train s'occupe de tant de choses en route qu'il oublie tout à fait le voyageur qui dort.

Le train s'arrête enfin à Choix, où le chef de train se rappelle sa mission quelques secondes avant le départ.

Il se hâte de chercher le compartiment qu'il faut trouver, mais par malheur il n'a plus dans sa poche le bout de papier qui porte le numéro dont il a besoin.

Il passe devant un compartiment où il y a un monsieur tout seul qui dort à poings fermés, en ouvre la portière, le secoue violemment, et comme il ne bouge pas, il l'entraîne dehors sur le quai. Puis il regagne son fourgon, et donne le signal du départ.

Le train repart, et le chef de train s'étonne de voir le voyageur qu'il vient de rouler sur le quai lui montrer le poing, et lui jeter des injures.

" Voilà un monsieur bien ingrat," se dit-il, stupéfait.

Arrivé à Boulogne, tout le monde descend, sauf un monsieur qui dort toujours paisiblement dans le coin de son compartiment.

QUESTIONS

1. Pourquoi le voyageur appelle-t-il un porteur?
2. Qu'est-ce qu'il lui explique?
3. Sur quoi le porteur écrit-il le numéro?
4. Qu'est-ce qu'il reçoit du voyageur?
5. A qui le porteur donne-t-il le message?
6. Où s'installe le voyageur?
7. Pourquoi le chef de train oublie-t-il sa mission?
8. Que fait-il quand il trouve un monsieur endormi?

9. Que fait le voyageur qui se trouve sur le quai?
10. Qui ne descend pas au terminus à Boulogne?

EXERCISES

A. Insert " qui " (subject) or " que " (object) in the following:
    1. Le chien — est noir.
    2. Les messieurs — parlent.
    3. La maison — j'achète.
    4. L'enfant — nous regarde.
    5. Les fleurs — elle vend.
    6. Voici une robe — est belle.
    7. Le livre — est sur la table.
    8. Les autobus — nous voyons.
    9. La place — il cherche.
    10. Un express — part à six heures.

B. Translate the relative pronoun in brackets:
    1. La femme (to whom) il parle.
    2. La plume (with which) vous écrivez.
    3. La rue (in which) je demeure.
    4. Les pays (of which) ils parlent.
    5. L'homme (whose) le fils est malade.
    6. Le cinéma (at which) je la rencontre.
    7. La dame (with whom) il se promène.
    8. Montrez-moi (what) est dans la boîte.
    9. Tout (that) nous disons est vrai.
    10. Je ne sais pas (what) il fait.

C. Translate:
    1. The lady whose son we know.
    2. The men among whom he works.
    3. The road which the car takes.
    4. The day on which he arrives.
    5. He strikes his head, after which he falls.
    6. The seat I choose is comfortable.
    7. The cat which I speak to is intelligent.
    8. What he is saying is interesting.
    9. I think he is in Paris.
    10. One evening when I am not working.

D. Translate :

The suburb in which I live is very pleasant.

Our house is situated in a street bordered with trees, which are very beautiful in summer.

My bedroom, in front of which there is a balcony, looks out on* our garden, of which my father is very proud.

Near our street there is a park, in the middle of which there is an ornamental pond (le bassin).

My Uncle Robert, of whom I often speak, and whom I like very much, is arriving from London this evening. He generally brings me some stamps, and I hope he does not forget them this time. The stamps he gives me are some-times rare (rare).

* donner sur.

E. Recount in French, from memory, the story " Erreur d'Identité," *or*

Recount any amusing or interesting experience connected with a railway journey.

Word List : " Le Chemin de Fer," p. 230.

LESSON XIII

GRAMMAR

A. WHICH? (Interrogative Adjective and Pronoun)

1. *Adjective*

	Sing.	Plur.
M.	quel	quels
F.	quelle	quelles

} *which, what* (+ Noun)

e.g. Quel magasin?   Which shop?
Quelles femmes?   Which women?
Quel est ce bruit? What is that noise?
("What" separated from
its noun in this case.)

Note.—When "quel" is used as an exclamation the article is omitted.   e.g. Quelle jolie robe!   What a pretty dress!

2. *Pronoun*

	Sing.	Plur.
M.	lequel	lesquels
F.	laquelle	lesquelles

} *which one(s)?*

e.g. Voici deux chapeaux.   **Lequel** préférez-vous?
Here are two hats.   *Which one* do you prefer?

B. Demonstrative Pronouns

1. *This one, that one, these, those*

	Sing.		Plur.	
M.	celui	{ *this,*	ceux	{ *these,*
F.	celle	*that,*	celles	*those,*
		the one		*the ones*

e.g. Which woman ?   The one who is speaking.
Quelle femme ?   *Celle* qui parle.
Your hat and Mary's (= that of Mary)
Votre chapeau et **celui** de Marie

Note.—When making a comparison or a contrast, add **-ci** (*the nearer, the latter, this one, these*) or **-là** (*the farther, the former, that one, those*) to these pronouns.

e.g. Here are two dogs.   This one is black ; that one is white.
     Voici deux chiens.   Celui-ci est noir ; celui-là est blanc.

2. *This, that*

When no noun has yet been referred to, and no gender yet mentioned, and when something is merely pointed out, or some idea referred to, use :

ceci   *this*
cela   *that*

("cela" is often contracted to "ça" in conversation)

e.g. **Ceci** est joli.   This is pretty.
     Regardez **cela**.   Look at that.
     Je n'aime pas **ça**.   I don't like that.

3. *Use of "C'est" (pl. Ce sont) for "He is, she is, it is, they are," when demonstrative*

"Ce" (or "C'") is used in French before "être" not only for "it," but for "he, she, they," when "être" is followed by:

(*a*) *Proper Noun.* C'est Henri   It is Henry

(*b*) *Noun preceded by article or otherwise qualified* (e.g. quelque = some, a few).	C'est le (un) livre	It is the (a) book
	Ce sont les (des) livres	They are the (some) books
	Ce sont quelques amis	They are a few friends

(*c*) *Pronoun.*   C'est vous   It is you

(*d*) *Superlative.*   C'est le plus grand   It is the biggest

"C'est" = "it is," "this is," "that is," when something is pointed to, or referred to, but *not named* (viz. no gender known).

e.g. C'est joli.   It is pretty.
     C'est ici.   It is here.
     C'est vrai.   It (an idea, statement) is true.

But use "il (elle) est" (pl. ils, elles, sont) for "it is, he is, she is, they are" when not demonstrative but merely making a statement, the gender of the noun being known

e.g. Voici une pomme. **Elle est rouge.**
Here is an apple. *It* is red.
Regardez cette femme. **Elle est belle.**
Look at that woman. *She* is beautiful.
Où sont les chiens? **Ils sont ici.**
Where are the dogs? *They* are here.

Note.—Before a Clause beginning with " **que** " or before a Phrase beginning with " **de**," use " **il est** " (not " **c'est** ") for " it is."

e.g. **Il est vrai qu'il est paresseux.**
It is true that he is lazy.
Il est difficile de faire cela.
It is difficult to do that.

C. Comparative and Superlative of Adverbs

Adverbs add **plus** (*more*) or **moins** (*less*).

	Comparative	*Superlative*
e.g. vite	plus vite	le plus vite
quickly	more quickly	most quickly

Exceptions

beaucoup	much	plus	more	le plus	most
bien	well	mieux	better	le mieux	best
peu	little	moins	less	le moins	least
mal	badly	pis	worse	le pis	worst

NOTES

(1) Do not confuse " meilleur " (adj.) and " mieux " (adverb)

e.g. A better book — Un **meilleur** livre
He sings better than Charles. — Il chante **mieux** que Charles.

(2) " Plus " and " moins " when followed by a noun take " de " like other expressions of quantity, e.g. plus **de** vingt livres — more than twenty books.

(3) More and more = **de plus en plus**.

D. Present Tense of Irregular Verbs " vouloir," " pouvoir "

vouloir
(*to wish, want to*)

pouvoir
(*to be able*)

je veux	*I wish, etc.*	je peux, je puis	*I can,* or *am able*
tu veux		tu peux	
il (elle) veut		il (elle) peut	
nous voulons		nous pouvons	
vous voulez		vous pouvez	
ils (elles) veulent		ils (elles) peuvent	

Write either " je peux " or " je puis," but " puis-je " in interrogative form.

VOCABULARY

Au Grand Magasin   At the Store

l'ascenseur (m.)	lift	l'allumette (f.)	match
		l'étiquette	label, price-ticket
le billet	note, ticket		
le carton	cardboard box	l'étoffe	material
le paquet	packet	la marque	brand
le salon de couture	dress salon	la toilette	outfit, dress
		la vendeuse	saleswoman
le tabac	tobacco		
le vendeur	salesman	à la mode	fashionable
		au troisième	on the 3rd floor
coûter	to cost		
envelopper	to wrap	bien	well, very much
fumer	to smoke		
		bon marché	cheap
cela vous va bien	that suits you well	bonjour	good morning *or* good afternoon
comme (qu')elle est belle	how beautiful she (it) is	déjà	already
		enfin	at last
comment allez-vous?	how are you?	vraiment	truly, really
		très	very
je vais bien	I am well	cher	dear, expensive
n'est-ce pas?	isn't that so?		
voulez-vous?	will you?	exquis	exquisite
voyons!	now look! look here!	fort	strong
		ruiné	ruined

Au Magasin

Scène—Un grand magasin à Paris

(Mme Dubois et son amie, Mme Lebrun, arrivent au
salon de couture)

La Vendeuse : Bonjour, mesdames. Qu'est-ce que je puis
vous montrer?

Mme D. : Je veux voir quelques étoffes, s'il vous plaît—pour
une toilette du soir.

La V. : Oui, madame. Voici quelques étoffes très à la mode.
Ce sont les meilleures étoffes du magasin. Celle-ci, par
exemple? Comme elle est exquise.

Mme D. : Oui, j'aime bien celle-ci.

Mme L. : J'aime mieux celle-là ; je la trouve très bien.

Mme D. : C'est vrai. Combien coûte-t-elle ?

La V.: Elle coûte quatre francs quatre-vingts* le mètre,
madame. Elle est très bon marché.

Mme D.: Vraiment? Alors, j'en prends cinq mètres.

La V.: Ça fait vingt-quatre francs justement, n'est-ce pas?
Voulez-vous me donner votre adresse, s'il vous plaît?
Je vais vous l'envoyer.

Mme L.: Regardez donc ceci. (Elle montre un chapeau à son
amie.)

La V.: Madame désire acheter un chapeau? Comment
trouvez-vous celui-ci? Ces chapeaux-ci viennent d'arriver ce matin. Ils sont très chics, n'est-ce pas?

Mme D.: Je trouve celui-là plus élégant. (Elle regarde
l'étiquette.) C'est combien? Ah! dix-sept francs soixante-
quinze. Ça, c'est trop cher. (à Mme L.) Lequel
préférez-vous?

Mme L.: J'aime mieux le chapeau vert; il est plus gai.

La V.: Et il est moins cher, madame. Seize francs quatre-
vingt-dix seulement.

Mme D.: Eh bien, je vais l'essayer. (Elle se regarde dans la
glace.)
      Quel joli chapeau! Il me va très bien, n'est-ce pas?
Je le prends, alors. (Monsieur Dubois entre dans le salon.)

* "Centimes" is omitted in prices, after "francs."

Tenez! Voilà mon mari.

M. D. : Ah! te voici enfin! Je te cherche partout, Louise.
(Il voit Mme Lebrun.) Bonjour, Madame Lebrun. Comment
allez-vous? Qu'est-ce que ma femme vient
d'acheter? Un chapeau? Je suis ruiné.

(La vendeuse met le chapeau vert dans un carton, et
le donne à Monsieur Dubois.)

Descendons par l'ascenseur. Je veux acheter des
cigarettes.

(Ils descendent tous, et sortent du magasin. Ils
entrent dans un bureau de tabac.)

LE VENDEUR : Bonjour, mesdames, et monsieur. Vous
désirez?

M. D. : Vous avez des cigarettes anglaises?

LE V. : Mais oui, monsieur. Quelle marque désirez-vous?
Nous avons des " Silver Tip." Elles coûtent un franc
soixante le paquet.

M. D. : Voulez-vous m'en donner trois paquets, s'il vous
plaît. Je les aime bien.

LE V. : Oui, monsieur, ce sont les cigarettes les plus demandées.
Ça fait quatre francs quatre-vingts.

M. D. : Voyons! Il est déjà midi. Allons déjeuner le plus
vite possible. (Il lui donne cinq billets de dix francs.)
Note.—Prices are given in " new " francs ("nouveaux
francs "). One " new " franc = 100 "old" francs.

QUESTIONS

1. Comment allez-vous ce matin?
2. Laquelle préférez-vous, une cigarette ou une pipe?
3. Quelle marque de tabac fumez-vous?
4. Aimez-vous les cigarettes françaises?
5. Quel est votre journal favori?
6. Combien coûte le chapeau vert de Mme Dubois?
7. Où est-ce qu'on achète le tabac?
8. Combien de centimes font un franc?
9. Combien coûtent cent timbres de cinquante centimes?
10. Combien coûtent cinq paquets de cigarettes à un franc
soixante le paquet?

EXERCISES

A. Insert the correct form of " quel " (adj.) or " lequel "
   (pron.) as required :

   1. — chapeau préférez-vous?
   2. Voici deux chapeaux ; — préférez-vous?
   3. — de ces robes est la plus belle?
   4. — robes voulez-vous voir?
   5. — beau magasin!
   6. — de ces livres est le plus intéressant?
   7. — heure est-il?
   8. — de ces journaux voulez-vous lire?
   9. — aimez-vous mieux, celui-ci ou celui-là?
   10. — cigarettes fumez-vous?

B. Insert suitable Demonstrative Pronouns :

   1. Voilà deux livres ; — est vert.
   2. — qui est sur la table est bleu.
   3. — est vrai.
   4. Regardez —.
   5. Regardez ces fleurs ; — sont rouges, — sont blanches.
   6. Je comprends —.
   7. Voici mon auto ; — de Charles est plus petite.
   8. — qui est devant le magasin est plus grande.
   9. — coûte plus que —.
   10. — est possible.

C. Insert " ce (c') " or " il (elle)," as required :

   1. — est le plus grand magasin de la ville.
   2. Regardez cette fleur ; — est jolie
   3. Oui, — une belle fleur.
   4. — sont de belles fleurs.
   5. Voici un chapeau ; — est bon marché.
   6. — est un chapeau élégant.
   7. Aimez-vous cette robe ? — est très gaie.
   8. — est la meilleure vendeuse du magasin.
   9. Ah! — est vous, Madame Lebrun?
   10. — sont nos amis Charles et Henri, n'est-ce pas?

D. Translate :

more often, most politely, he reads better, she speaks least, a better dress, as quickly as possible, more and more expensive, more than 3,000 francs, on the fifth floor, I am very well, they wish, do you wish? they can, can I? we are able to go.

E. Translate :

(M. Dubois and his wife enter a tobacconist's)

M. Dubois : Good morning. Have you any English cigarettes?

The Salesman : Yes, sir, we have some. They have just arrived. Which brand do you like best?

M. D. : Give me a packet of "Silver Tip," please, and a box of matches. I find English matches are better than French matches.

The Salesman: But we haven't any, sir. That makes 1 franc 25 (centimes*).

M. D.: Thank you. Here is a five-franc note. (The salesman gives him 3 francs 75 (centimes*).)

(M. and Mme D. go out. They stop in front of a large store)

Madame D.: I want to see some dresses. Let us go to the dress salon. We can take the lift to the fourth (floor*).

(They go up to the dress salon)

The Saleswoman: Good morning, madam. Good morning, sir. What can I show you?

Mme D.: I want to see some evening dresses, please.

The Saleswoman: Certainly, madam. Here are the best evening dresses in the shop. Do you like this one?

Mme D.: No, I prefer that one, the white dress. I find it gayer than the black dress.

M. D.: But it is also dearer, isn't it?

The Saleswoman: Yes, that is true. It costs 150 francs.

Mme D. : Yes, the black dress costs less, but it is also less smart. Which one do you prefer, my dear?

M. D. : I am ruined. Let's go out as quickly as possible.

F. Write in French a short imaginary conversation which takes place in a shop, a street, or a restaurant.

* Omit.

LESSON XIV

GRAMMAR

A. Formation of Future Tense

To form the future tense of regular verbs the endings **-ai**, **-as**, **-a**, **-ons**, **-ez**, **-ont** (which are the endings of the Present Tense of " avoir ") are added to the Infinitive.

Note that verbs of Group III (**-re**) drop the final " **-e** " of the infinitive.

donner		finir	
je donnerai	*I shall give*	finirai	*I shall finish, etc.*
tu donneras	*you will give*	finiras	
il donnera	*he will give*	finira	
nous donnerons	*we shall give*	finirons	
vous donnerez	*you will give*	finirez	
ils donneront	*they will give*	finiront	

vendre	
vendrai	*I shall sell, etc.*
vendras	
vendra	
vendrons	
vendrez	
vendront	

All verbs have these endings in the future tense, but some irregular verbs make alterations in the stem, and the Verb Table at the end of the book can now be consulted when necessary.

The following common irregular futures should be learnt by heart :

aller	j'irai	*I shall go*
avoir	j'aurai	*I shall have*
courir	je courrai	*I shall run*
être	je serai	*I shall be*
faire	je ferai	*I shall make*

pouvoir	je pourrai	*I shall be able*
recevoir	je recevrai	*I shall receive*
savoir	je saurai	*I shall know*
tenir	je tiendrai	*I shall hold*
venir	je viendrai	*I shall come*
voir	je verrai	*I shall see*
vouloir	je voudrai	*I shall wish*

NOTES

(1) The following regular verbs of Group I (-er) take a grave accent throughout the Future (e.g. j'achèterai, etc.) : mener (*to lead*), acheter (*to buy*), amener (*to bring along*), emmener (*to take along*), promener (*to walk*). This is due to the fact that the " e " preceding the last syllable is mute.

(2) The following regular verbs double the last consonant throughout the Future :

appeler (*to call*)　j'appellerai　　jeter (*to throw*)　je jetterai

(3) Verbs in -oyer and -uyer change y to i throughout the Future.

　　e.g. nettoyer (*to clean*)　je nettoierai
　　　　essuyer (*to wipe*)　j'essuierai

Verbs in -ayer can retain y *or* change to i.

　　e.g. payer (*to pay*)　je payerai or paierai

B. Use of the Future Tense

The following points should be noted :

1. In French the Future must be used instead of the English Present when future time is really implied, i.e. after conjunctions of time : " quand, lorsque " (when), " dès que, aussitôt que " (as soon as), etc.

　　e.g. *When* he *arrives* (= will arrive) we shall go out.
　　　　Quand il arrivera, nous sortirons.
　　　　but do not use the Future in French after **si** (*if*);
　　　　simply the Present as in English.

　　e.g. If he arrives tomorrow, we shall set out.
　　　　S'il arrive demain, nous partirons.

When " si " means " whether " Future is used, however, as in English.

　　e.g. I don't know if (= whether) he will come.
　　　　Je ne sais pas s'il viendra.

2. The immediate Future can be expressed by the Present of " aller " + the Infinitive, as in English.

> e.g. I am going to sing now.
>> Je vais chanter maintenant.

3. " Will you? " when a request, is not a Future, but is expressed in French by " Are you willing to? "

> e.g. Will you shut the door, please?
>> Voulez-vous fermer la porte, s'il vous plaît?

4. In the interrogative form of the Future of all verbs a **t** must be inserted in the 3rd person singular.

> e.g. Donnera-t-il (elle)?
>> Will he (she) give?

C. Emphatic Pronouns (*Disjunctives, i.e. not connected with Verb—so separate, apart*)

	Singular		*Plural*
moi	*I* or *me*	nous	*we* or *us*
vous	*you*	vous	*you*
lui	*he* or *him*	eux	*they* or *them* (*m.*)
elle	*she* or *her*	elles	*they* or *them* (*f.*)

" Toi " is used instead of " vous " in the singular for relatives and close friends.

These are used in the following cases :

1. *For Emphasis, Composite Subject or Object, or when Alone.*

> e.g. **Moi**, je n'irai pas. *I*, I shan't go.
>> Lui et moi (nous) allons sortir.
>> He and I are going out.
>> Qui est là? Moi. Who is there? **I.**

2. *After Prepositions*

> e.g. avec **lui**   with him   l'un d'**eux**   one of them
>> chez **nous**   at our house

but remember Transitive Verb + " to " + Pronoun requires Conjunctive Pronoun, e.g. I give *to* her = " je **lui** donne " and *not* " je donne à elle." Verbs of Motion take emphatic pronouns, e.g. He came to me. **Il vint à moi** ; and they are used after Reflexive Verbs for the Indirect Object, e.g. He addresses himself to me.   Il s'adresse à moi.

3. *With verb " être "* (which cannot take an object).

e.g. C'est moi.   It is I.

Similarly : C'est toi, lui, elle, nous, vous

but Ce sont eux, elles

Note.—" être " + Emphatic Pronoun can be used to show possession in French.

> e.g. A qui est ce crayon?   Il est à moi.
> Whose pencil is this?   It is *mine*.

4. *In Comparisons*

> e.g. Il est plus intelligent que moi.
> He is more intelligent than I.

Note.—" -même " (self) can be added to any of the emphatic pronouns, and agrees, being an adjective.

> e.g. moi-même   myself   nous-mêmes   ourselves
> Il le fera lui-même   He will do it *himself*

Do not confuse this with the reflexive pronoun which is not emphatic.

> e.g. He cuts himself.   Il se coupe.

D. **Present Tense of Irregular Verbs " écrire " (to write) and " recevoir " (to receive)**

écrire	recevoir*
j'écris	je reçois
tu écris	tu reçois
il (elle) écrit	il (elle) reçoit
nous écrivons	nous recevons
vous écrivez	vous recevez
ils (elles) écrivent	ils (elles) reçoivent

* Similarly all verbs in " -cevoir," e.g. apercevoir (*to perceive*).

VOCABULARY

le camping	camping	la basse-cour	poultry-yard
le cheval	horse	la canne à	fishing-rod
le collège	college	pêche	
le départ	departure	la colline	hill
l'endroit (m.)	place		

le fermier	farmer	la douane	customs
le hangar	shed	l'écurie (f.)	stable
le mouton	sheep	l'étable (f.)	cowshed
l'œuf	egg	l'excursion	excursion
l'oncle	uncle	la fois	time
Pâques	Easter	la grange	barn
le Parlement	Parliament	la main	hand
le passeport	passport	(la) maman	mother
le pied	foot	la poule	hen
le poirier	pear tree	la quinzaine	fortnight
le pommier	apple tree	la sortie	exit
le pré	meadow	la traversée	crossing
le ruisseau	brook	la truite	trout
le verger	orchard	la vache	cow

avoir congé	to have a day's holiday	aimable	kind
		calme	calm
		content (de)	pleased (to)
couler	to flow	enchanté (de)	delighted (to)
descendre	to go down or get down	heureux (de)	happy (to)
		maintenant	now
emmener	to take away (people)	peut-être	perhaps
		tant de	so much
		tout près	quite near
emporter	to take away (things)	en autocar	by motor coach
passer	to spend	en chemin de fer	by rail
prêter	to lend		
prier	to ask	par le train	by train
remercier	to thank	par le métro	by Underground
voyager	to travel	par avion	by air

faire une promenade (un tour) à pied, à bicyclette, à cheval, en auto, en bateau, en avion	to go for a trip on foot, by bicycle, on horseback, by car, in a boat, in an aeroplane

Une Lettre de Paris

12, rue Passy,
Orly,
Seine-et-Oise.
le 5 mars, 1950.

Cher Jean,

Je vous remercie beaucoup de votre lettre du 1er mars, et de votre invitation si aimable.   Je serai enchanté de passer une quinzaine chez vous à Pâques.   Remerciez aussi vos parents mille fois, je vous prie, de ma part.

Je verrai enfin l'abbaye de Westminster, le Parlement, la cathédrale de St. Paul, et la place Trafalgar.   Nous pourrons aussi peut-être faire des excursions en auto ou en chemin de fer à Oxford et à Windsor.

Je partirai de Paris le 2 avril par le train de 9 h 20, de la gare du Nord, et j'arriverai à Calais à 12 h 45.   Ensuite je passerai par la douane, et je m'embarquerai pour Douvres.

Ce sera la première fois que je ferai un voyage en bateau, et j'espère bien que la mer sera très calme.   Si nous faisons une bonne traversée de la Manche, j'arriverai à la gare de Victoria vers 16 h 30, mais je ne sais pas si vous pourrez venir me chercher.

Quand je descendrai du train je vous chercherai à la sortie du quai.   Si vous ne pouvez pas venir à la gare je prendrai un taxi.   Naturellement, je ne connais pas Londres, mais je sais l'anglais assez bien pour donner votre adresse au chauffeur.

C'est aujourd'hui jeudi, et nous avons congé, le jeudi, vous savez, dans tous les lycées français.

S'il fait beau cet après-midi mon ami Paul Lenoir et moi ferons une promenade à bicyclette à la campagne.   Il est plus âgé que moi de deux ans, et son oncle a une grande ferme à vingt kilomètres de nous, et nous allons souvent chez lui.

C'est une belle ferme, avec des granges, des hangars, des écuries pour les chevaux, des étables pour les vaches, et une basse-cour pleine de poules et de canards.   Il y a aussi beaucoup de moutons dans les prés ; et au pied de la colline, derrière la maison, il y a un beau verger avec des pommiers et des poiriers.

Aussitôt que nous arriverons, nous irons voir les animaux. Je ferai peut-être un petit tour à cheval avec lui, parce que je sais maintenant monter à cheval. J'emporterai aussi ma canne à pêche, parce qu'il y a beaucoup de truites dans le ruisseau qui coule tout près de la ferme.

M. Lenoir me donnera, comme toujours, une douzaine d'œufs pour maman. Il a lui-même deux fils, et nous avons l'intention de faire du camping avec eux au mois d'août. Nous les connaissons bien, et ils sont très gentils.

Je viens de recevoir mon passeport, et je serai bien content quand le jour de mon départ pour l'Angleterre arrivera.

Avant de partir j'achèterai des timbres français pour votre collection, et je les apporterai avec moi.

J'attends avec impatience le jour de mon départ pour l'Angleterre.

Bien cordialement à vous,

Pierre.

QUESTIONS

1. Qu'est-ce que Pierre verra à Londres?
2. Où ira-t-il peut-être en auto?
3. Par quel train partira-t-il de Paris?
4. Où est-ce qu'il s'embarquera pour Douvres?
5. A quelle heure arrivera-t-il à Victoria?
6. Qui a une grande ferme?
7. Pourquoi Pierre emportera-t-il sa canne à pêche?
8. Qu'est-ce que M. Lenoir lui donnera?
9. Qu'est-ce que Pierre et ses amis feront au mois d'août?
10. Connaissez-vous Paris ou Londres?

EXERCISES

A. Replace the following Present Tenses by the Future Tense:

ils donnent, je vends, finit-il? elle va, tu es, nous voyons, je fais, ils viennent, elle peut, vous voulez, nous recevons, ils ont, j'achète, il jette, vous payez.

B. Translate :

he and I, with them (m.), in front of her, at our house (use " chez "), it is he, it is they (m.), he is bigger than you, after me, at her house (use " chez "), come with them (f.).

C. Translate :

I am writing, we write, they receive, does he receive? I know English, they know the street, I go for a bicycle ride, he travels by boat, we go for a ride on horseback, they travel by air.

D. Translate :

> 10, Windsor Street,
> Kingston, Surrey.
> 13th March, 1950.

Dear Peter,

I have just received your letter of 5th March and I am very pleased to know that I shall see you at last next week.

I shall be at Victoria Station at 4.30 p.m. on Saturday and I shall wait for you at the exit from the platform. If you do not see me at first, do not take a taxi, but wait in front of the letter-box on the right. You know that all letter-boxes in England are red.

My Uncle Charles, who knows your father well, will be able perhaps to come with me. He speaks French better than I.

During the first week we shall visit the Houses of Parliament, Westminster Abbey, St. Paul's Cathedral, and many other interesting places in London.

After that, if it is fine, we shall go to Windsor, and you will see the Castle and Eton College. My uncle often goes there by car, and he will take us with him. He knows Oxford well.

I shall have a lot of new stamps to (à) show you when you arrive. My brother Robert, who is three years older than I, has also a fine collection.   He and I intend to go camping in Scotland at the end of July.   He will lend you his bicycle, and we shall be able to go for some bicycle rides into the country.

Now I have a lot of homework to (à) do.

Yours sincerely,
John.

E. Write in French a short letter to a friend giving details of a journey or visit you intend to make.

LESSON XV

GRAMMAR

A. The Perfect Tense

With the exception of reflexive verbs, and a few verbs expressing motion (see Lesson XVI), French verbs form their Perfect Tense (e.g. " I have given or I gave ") by adding their past participle to the present tense of " avoir."

This tense must *always* be used in French in *Conversation* or in a *Letter* to express any action completed at a definite time in the past.

The Past Participle of any irregular verb may be found in the Verb Table at the back of the book, which can now be consulted as each new tense occurs.

The Past Participle of regular verbs is formed as follows :

	Stem of			
Group	*Infinitive*	+ *Ending*	=	*Past Participle*
I	donn(er)	-é	=	donné
II	fin(ir)	-i	=	fini
III	vend(re)	-u	=	vendu

Perfect Tense of " donner " :

j'ai donné   *I have given, I gave*
tu as donné
il (elle) a donné
nous avons donné
vous avez donné
ils (elles) ont donné

Similarly : (finir) j'ai fini, etc. ; (vendre) j'ai vendu, etc.

Interrogative

ai-je donné?   have I given?   did I give?

Negative

je n'ai pas donné   I have not given, I did not give.

Note.—Some common irregular past participles :
(See Verb Table, page 212, for complete list.)

avoir	j'ai eu	*I have had*
boire	j'ai bu	*I have drunk*
dire	j'ai dit	*I have said*
écrire	j'ai écrit	*I have written*
être	j'ai été	*I have been*
faire	j'ai fait	*I have done, made*
mettre	j'ai mis	*I have put*
prendre	j'ai pris	*I have taken*
recevoir	j'ai reçu	*I have received*
voir	j'ai vu	*I have seen*

B. Rule for the Agreement of the Past Participle after " avoir "

The Past Participle must agree like an adjective with any *direct* object *preceding* the verb " avoir."

e.g. Je les ai trouvés.
I have found them.
Les livres que j'ai achetés
The books which I bought
Quelle femme avez-vous vue?
What woman have you seen?

But there is no agreement when the preceding object is indirect.

e.g. Je leur ai donné des fleurs.
I have given some flowers to them (*indirect*).

C. Position of Adverbs in the Perfect, and other compound tenses. Adverbs are usually placed between the auxiliary verb and the past participle.

e.g. J'ai souvent vu   I have often seen

Exceptions which follow the past participle :

(1) Long adverbs :
e.g. J'ai vu tout à coup   I saw suddenly
(2) Adverbs of time or place :
e.g. J'ai vu hier   I saw yesterday
J'ai vu partout   I saw everywhere

D. Warning Note on Tenses

(*a*) When the action is not yet finished, and " for " =
" since " (depuis) use the *Present*, not the Perfect.

> e.g. He has been waiting *for* an hour.
>> Il **attend** (action still going on) depuis une heure.
>> How long have you been in Paris?
>> **Depuis** quand **êtes-vous** à Paris?

(*b*) " I have just given, etc." is expressed in French not by
the Perfect but by the *Present* of **venir**, followed by **de** plus
Infinitive.

> e.g. I have just seen Mr. Dubois.
>> Je viens de voir M. Dubois.
>> (Literally : " I come from seeing.")

E. The Past Participle can be used as an Adjective :

> e.g. Le château, bâti sur un rocher, . . .
>> The castle, built on a rock, . . .

VOCABULARY

le bateau-mouche	river-steamer	l'arrivée (f.)	arrival
		la carte postale	postcard
le bâtiment	building	la circulation	traffic
le canot	rowing-boat	la forteresse	fortress
le donjon	dungeon	les nouvelles	news
le faubourg	suburb		
le lendemain	next day	ancien	former (ex-)
le métro	Underground	célèbre	celebrated
le pique-nique	picnic	ci-inclus	enclosed
		heureux	happy
le prisonnier	prisoner	large	broad
le retour	return	paresseux	lazy
le thé	tea	triste	sad
		vrai	true
*apprendre	to learn		
assister (à)	to be present (at)	à impériale	with upper deck
débarquer	to disembark	au revoir	goodbye
habiter	to inhabit	avant de	before (of time)
laisser	to let, allow		

périr	to perish	déjà	already
raconter	to recount	en plein air	in the open air
s'amuser	to enjoy oneself	infiniment	greatly
soulever	to lift up	de temps en temps	from time to time

huit jours	a week		
quinze jours	} a fortnight	hier	yesterday
une quinzaine		demain	tomorrow

UNE LETTRE DE LONDRES

10, Green Street,
Chiswick, W.4.
le 9 avril, 1950.

Ma chère Maman,

J'espère que tu as déjà reçu la carte postale que je t'ai envoyée le lendemain de mon arrivée. Voici une lettre de ton fils paresseux avec de ses nouvelles, et je te prie d'accepter toutes mes excuses pour le délai, mais tu sais bien que j'ai été très occupé.

Je suis à Londres depuis huit jours maintenant, et je m'amuse infiniment bien. Jean et ses parents sont vraiment charmants, et son frère Robert est aussi bien gentil.

Le faubourg de Chiswick, qui est dans l'ouest de Londres, est un quartier très chic, et les Smith habitent une belle maison moderne dans une large rue bordée d'arbres.

Comme je t'ai déjà raconté, Jean m'a trouvé enfin à la gare de Victoria, et il m'a emmené d'abord par le métro à Piccadilly, qui est le vrai centre de Londres, où nous avons pris le thé, avant d'aller à Chiswick. La circulation dans les rues est vraiment formidable. Les autobus sont rouges, à impériale, et ils sont énormes.

Lundi nous avons fait un grand tour de Londres pour voir les bâtiments et les monuments historiques, et nous avons vu l'abbaye de Westminster, le Parlement, la cathédrale de St. Paul, et enfin la Tour de Londres et le pont de la Tour, dont les deux parties se soulèvent en l'air de temps en temps pour laisser passer les grands bateaux sur la Tamise.

La visite de la Tour, dans laquelle ont péri tant de prisonniers célèbres, a été tort intéressante. Les gardiens s'appellent " beefeaters," et ils portent un uniforme rouge et noir. Notre guide, ancien soldat comme tous les " beefeaters," nous a raconté des histoires tristes au sujet des donjons, des salles de torture, et des exécutions dans cette forteresse imposante.

Hier l'oncle de Jean nous a emmenés en auto à Windsor, et nous avons visité le collège d'Eton et le château de Windsor, dont j'ai tant entendu parler.

Jeudi, Jean, son frère, et moi avons fait un pique-nique sur les bords de la Tamise. Il a fait un temps superbe, et nous avons pris un bateau-mouche à Richmond pour faire une excursion à Hampton Court, où nous avons débarqué. Nous avons passé la matinée à visiter le palais, qui date du seizième siècle, et ses jardins magnifiques. Nous avons mangé en plein air, dans le parc en face du palais, les sandwichs que nous avons emportés, puis nous avons fait un tour en canot avant de rentrer en autobus.

Cet après-midi nous allons assister à un grand match de football à Chelsea.

La semaine prochaine j'espère, entre autres choses, aller à Oxford pour voir les collèges de l'université. Nous avons l'intention d'y aller en chemin de fer. Tu trouveras ci-inclus quelques cartes postales que j'ai achetées.

Je t'écrirai dimanche prochain, avant mon retour. Embrasse Papa et Marie. Au revoir, chère Maman.

Ton fils qui t'aime.

Pierre.

QUESTIONS

1. Où demeurent les Smith?
2. Pierre, s'amuse-t-il bien à Londres?
3. Comment sont les autobus anglais?
4. Comment s'appellent les guides de la Tour?
5. De quelle couleur est leur uniforme?
6. Comment Pierre a-t-il voyagé à Hampton Court?
7. Qu'est-ce que Pierre et ses amis ont mangé en plein air?
8. Quel est le vrai centre de Londres?
9. Qu'est-ce que Pierre envoie à sa mère?
10. De quel siècle date le palais de Hampton Court?

EXERCISES

A. Replace the following Present Tenses by the Perfect :

nous vendons, il finit, nous parlons, je prends, ils voient, elle fait, vous avez, je suis, tu reçois, nous écrivons.

B. Fill in the Past Participle, making any necessary agreements :

1. Il a (mettre) la lettre sur la table.
2. Les livres que nous avons (trouver).
3. La lettre que vous avez (écrire).
4. Elle les a (finir).
5. Ils nous les ont (vendre).
6. Combien de pommes avez-vous (acheter).
7. Les amies que j'ai (voir).
8. Elle a (choisir) ces fleurs.
9. Nous les avons (suivre).
10. Il leur a (parler).

C. Translate :

in the open air, from time to time, the next day, next week, last Thursday, bordered by trees, by Underground, some old soldiers, he has just arrived, I have been in London for a week.

D. Translate :

the house of which I spoke, we recognised her, the castles which I have seen, the pencil with which I wrote, he wrote to her, the letter I have written, the friend whose daughter I met, he sold to them, I chose them, they bought some.

E. Translate :

10, Rue Passy,
Orly.
12th April, 1950.

My dear Peter,

Mother thanks you very much for your letter of the 9th April. The postcards which you sent are very interesting.

She is very busy today because the Lenoirs are coming to spend the evening with us.

There is not much news since your departure. Médor has been very naughty. Last Tuesday he went for a walk with Mother, and when she met Mrs. Lebrun he seized a piece of meat in her basket and carried it off into a garden where he ate it.

Yesterday Father took me with him to Paris, and I spent the day with my friend Louise. Her parents have just bought a fine house near the Eiffel Tower. We saw an English film, in which there is a dog which is called " Lassie."

Father says we shall go tomorrow to Fontainebleau by car, if it is fine. We shall have (make) a picnic in the woods, and we shall visit the castle, the gardens of which are so beautiful in spring.

Father says he hopes you have not forgotten to (de) bring him back some English cigarettes, and Mother wants to know if you have learnt a lot of English. If you tell me the time (hour) of your return I will come to the Gare du Nord. Don't forget to (de) send us a postcard before Saturday.

Until [we meet] soon*, Peter.

Your sister,
Mary.

* A bientôt.

F. Write in French a letter to a friend describing a visit you have made to some interesting town, or building.

REVISION

(Lessons XI–XV)

A. (a) *Present :* we write, does she write? they can, can I? you (tu) can, we receive, he does not receive, they wish, do you (tu) wish? we wish, he knows the street, they know where he is, do you know Rouen? I know German, we know how to swim.

(b) *Future :* I shall be, they will have, he will go, we shall run, I shall come, you will see, they will be able, we shall wish, he will make, you will receive.

(c) *Perfect :* I have had, they have been, she has made, we have drunk, she has put, I have wished, you have written, he has received, we have taken, they have read.

B. (a) *Numerals :* 61, 77, 80, 91, 200, 240, 3000, in 1952, Louis I, Louis XIV, about 20 cars, thousands of books, half the bread, an hour and a half, $2 \times 7 = 14$.

(b) *Comparative and Superlative of Adjectives and Adverbs :* a bigger room, a better house, a more interesting book, the prettiest dresses, the most intelligent dog, he walks fastest, she sings better, I write less often, we are as rich as they, he does not work so hard as you.

C. *Pronouns, Tenses, Agreement of Past Participle :*

1. This dress is green and that one is blue.   Which one do you prefer?

2. What pretty flowers!   I like these better than those you have chosen.

3. It is she who has written these letters.   They are very interesting.

4. Come with me, and I will show you the house I have bought.

5. It is a fine cake, isn't it?   Here is a knife with which you can cut it.

6. I have known Peter for several years.   He is more intelligent than you.

7. The hotel of which I spoke is excellent. It is the best hotel in London.

8. He and I want to know what you have just seen.

9. The suburb in which I live is very pleasant. That is true.

10. I have seen them, but I have not spoken to them.

D. Write in French a few lines on one of the following topics :
  (*a*) La France, ou l'Angleterre.
  (*b*) Paris, ou Londres.

LESSON XVI

GRAMMAR

A. The Perfect Tense of Verbs requiring " être " + Past Participle

1. The following verbs, mostly verbs of *motion*, require " être " to form the Perfect and other compound tenses :

(*a*) Verbs of *Motion* (change of position) :

aller (*to go*), venir (*to come*), arriver (*to arrive*), entrer (*to enter*), partir (*to set out*), sortir (*to go out*), descendre (*to descend*), monter (*to mount*), tomber (*to fall*), retourner (*to return*).

And compounds with " re- " (*again*), e.g. rentrer, revenir, repartir, etc.

(*b*) Verbs denoting change of state :

devenir (*to become*), naître (*to be born*), mourir (*to die*).

(*c*) rester (*to remain*).

e.g. aller

je suis allé(e)   *I have gone, I went*
tu es allé(e)
il est allé
elle est allée
nous sommes allé(e)s
vous êtes allé(e)(s)
ils sont allés
elles sont allées

(Verbs describing method of moving take " avoir," e.g. j'ai marché, j'ai couru.)

NOTES

(1) The Past Participle always agrees with the subject, as it is an *adjective* in these cases. When there are two or more subjects of mixed genders, the Past Participle agrees with the masculine, in the plural form.

(2) If any Verbs of Motion are used transitively (i.e. with an object) they require " avoir " and follow the rule for agreement of the past participle with " avoir."

e.g. Nous **avons** descendu les bagages.

We have brought down the luggage.

2. All Reflexive Verbs require " être " to form the Perfect, and other compound tenses.

e.g. se coucher

je me suis couché(e)   *I have gone to bed*

tu t'es couché(e)   *I went to bed*

il s'est couché

elle s'est couchée

nous nous sommes couché(e)s

vous vous êtes couché(e)(s)

ils se sont couchés

elles se sont couchées

NOTES

(1) The Past Participle agrees with the preceding reflexive direct object, and if the object is indirect there is no agreement.

e.g.

Agreement $\begin{cases} \text{Elle s'est coupée.} \\ \text{She has cut herself (Direct).} \end{cases}$

No Agreement $\begin{cases} \text{Elle s'est coupé la main.} \\ \text{She has cut (\textit{to herself}) the hand (Indirect).} \\ \text{Elles se sont parlé.} \\ \text{They have spoken \textit{to each other} (Indirect).} \end{cases}$

(2) *Negative* form : je ne me suis pas couché.

Interrogative form : me suis-je couché?

or   est-ce que je me suis couché?

B. Insertion of the Definite Article

le, la, les must be inserted in the following cases in French, though omitted in English :

1. *With Titles*

e.g. le colonel Smith   le docteur Paul

(Do not use " médecin " in title)

Colonel Smith   Dr. Paul

(Note : *small* letter for ranks and titles.)

2. *When an adjective precedes a proper noun*

   e.g. le vieux Pierre   la petite Marie
        old Peter   little Mary

   (Note also : Bonjour, monsieur le maire, etc.
                Good morning, mayor, etc.)

3. *In a general statement*

   e.g. **Les** enfants aiment **le** chocolat.
        Children like chocolate.

4. *With abstract nouns, materials, substances used in a*
   general sense

   e.g. **La** peur le saisit   Fear seizes him
        J'aime l'histoire   I like history
        L'or est précieux   Gold is precious

5. *With parts of the body*

   e.g. Il a **les** yeux bleus   He has blue eyes

VOCABULARY

le coureur	competitor	l'allure (f.)	speed
le guidon	handlebars	la chance	luck
le maillot	jersey	la colline	hill
le pneu	tyre	la course	race
le vainqueur	winner	l'étape (f.)	lap, stage (of a race)
le vélo	bicycle		
		la marque	make, type
crever	to get a puncture		
		au moins	at least
filer	to speed along	de près	closely
gagner	to win	donc	so, therefore (conj.)
*se mettre à	to begin to		
tomber	to fall	en tête	in front
		ne . . . que	only
courbé	bent	tellement	so (adverb)
jaune	yellow	tout de suite	immediately
suivi (de)	followed (by)		

LE TOUR DE FRANCE

Scène : Le jardin des Dubois, au mois de juillet.   Il est sept heures du soir.   M. Dubois vient de rentrer de son bureau. Il est assis sur la pelouse, avec sa famille.

M. DUBOIS : Eh bien, mes enfants, qu'est-ce que vous avez fait aujourd'hui?

PIERRE : Ce matin, à dix heures, nous avons reçu un coup de téléphone du capitaine Leblanc.   Il nous a invités, Marie et moi, à l'accompagner à Marly, pour voir passer les coureurs du Tour de France.

M. DUBOIS : Vous avez eu de la chance.   C'est aujourd'hui la première étape, Paris–Caen, n'est-ce pas?

MARIE : Oui, papa.   Le capitaine Leblanc est venu nous chercher à onze heures dans son auto, avec son fils, le petit Marcel.   Il n'a que cinq ans, mais il a déjà son petit vélo, et il adore les courses à bicyclette.

M. DUBOIS : Et vous êtes arrivés à temps?   Marly est assez loin.

PIERRE : Mais oui.   Le capitaine a roulé à plus de cent kilomètres à l'heure, et nous avons mis deux heures seulement à y arriver.   Nous nous sommes installés au sommet d'une petite colline à deux kilomètres de Marly pour mieux voir.   Le premier groupe est bientôt arrivé.   Ils ont passé à toute allure, courbés sur leurs guidons, le grand René, en maillot jaune, en tête.

MARIE : Nous y sommes restés une heure.   Le champion d'Italie, Lombardi, a crevé, et il est tombé.   Il s'est mis tout de suite à changer le pneu, mais il a perdu au moins cinq minutes.

PIERRE : Nous sommes repartis à trois heures et demie, donc nous ne savons pas qui a gagné.

M. DUBOIS : Je viens d'acheter " L'Écho du Soir."   C'est René Duval qui est le vainqueur.   Il est arrivé le premier à Caen, suivi de près de Lombardi.

MARIE : Bravo!   Il est tellement gentil.

Note.—The " Tour de France," the most popular sporting event of the year in France, is a bicycle race round France, divided into daily stages (étapes).   The competitors represent the leading cycle firms, and there is a prize for the winners of each "étape." Aggregate time determines who is to wear the leader's yellow jersey and also the final winner.

QUESTIONS

1. Pourquoi le capitaine Leblanc a-t-il téléphoné à la maison des Dubois?
2. Quelle est la première étape du Tour de France?
3. Où sont-ils allés pour voir passer les coureurs?
4. Où se sont-ils installés pour mieux voir?
5. Qui est arrivé à la tête du premier groupe?
6. Pourquoi le champion d'Italie est-il tombé?
7. Qu'est-ce qu'il a fait alors?
8. Combien de temps a-t-il perdu?
9. Qui a gagné cette étape?
10. De quelle marque est votre bicyclette?

EXERCISES

A. Replace the Present Tense by the Perfect Tense:
1. Nous partons de bonne heure.
2. Elle reçoit un coup de téléphone.
3. Ils s'asseyent au bord de la route.
4. Vous achetez un journal.
5. Elle se repose un peu.
6. Nous arrivons à Caen.
7. Marcel gagne l'étape.
8. Les coureurs viennent bientôt.
9. Je les vois de près.
10. Ils filent très vite.

B. Translate:

Doctor Lenoir, old Mary, Lieutenant Duval, little Peter, she has grey eyes, bicycles cost a lot, I like horses, men like tobacco, French is easy, bread is not dear, she has cut her finger, she has hurt herself (se blesser).

C. Translate:

LOUISE: What did you do yesterday, Mary?
MARY: Peter and I went to the seaside. Captain Leblanc invited us to accompany him to Sablon in his car.

LOUISE : I know Sablon well. I went there several times last summer.

MARY : We enjoyed ourselves very much. We started early, and we travelled very fast. We arrived there before twelve o'clock. First we went down to the beach, where we bathed. Then we lunched at a little restaurant near the port, where we saw several fishing-boats. In the afternoon I sat on the rocks with Mrs. Leblanc, and little Marcel played on the sand, but Peter went for a walk on the cliffs with the captain, who told him many of his adventures. We stayed there till half-past five, and we got home very late. I went to sleep several times in the car, but Peter woke me up.

D. Write in French a short account (using the Perfect Tense) of how you spent yesterday.

LESSON XVII

GRAMMAR

A. Interrogative Pronouns (who? what?)

1. *For Persons*

   Subject : Qui? or Qui est-ce qui? *Who?*
   Object : Qui? or Qui est-ce que? *Whom?*
   After a preposition : avec qui? *with whom?*

   e.g. *Subject :* Qui est là?   Who is there?
       Object : Qui voyez-vous?   Whom do you see?
       Preposition : A qui parlez-vous?   To whom are you speaking?

2. *For Things*

   Subject : Qu'est-ce qui? *What?*
   Object : Que? or Qu'est-ce que? *What?*
   After a preposition : avec quoi? *with what?*

   e.g. *Subject :* Qu'est-ce qui est sur la table?
         What is on the table?

       Object : Que voyez-vous?   What do you see?
       Preposition : Avec quoi écrivez-vous?
            With what are you writing?

Note the following interrogative expressions :

Qu'est-ce que c'est qu'un château?   What is a castle?
Qu'est-ce que c'est?   What is it?
Qu'est-ce que c'est que ça?   What is that?
Qu'a-t-il?   What is the matter with him?
Qu'y a-t-il?   What is the matter?
A qui est ce livre?   Whose book is this?
*Quel est le nom du livre?   What is the name of the book?

*Use Adjective " quel " for " what " when Noun is mentioned.

B. Possessive Pronouns (mine, yours, etc.)

	Singular		*Plural*	
	Masc.	*Fem.*	*Masc.*	*Fem.*
mine	le mien	la mienne	les miens	les miennes
yours	le tien	la tienne	les tiens	les tiennes
his, her, its	le sien	la sienne	les siens	les siennes
ours	le nôtre	la nôtre	les nôtres	les nôtres
yours	le vôtre	la vôtre	les vôtres	les vôtres
theirs	le leur	la leur	les leurs	les leurs

These must agree, like the Possessive Adjective (mon, ma, mes) with the noun possessed, and *not* with possessor.

e.g. Here is my pen and *his*.

Voici ma plume et **la sienne.**

NOTES

(1) " leur " takes no " e " in the feminine.

(2) Possession may also be expressed by "être" + Emphatic Pronoun.

e.g. **A qui** est ce livre?   Whose book is this?

Il est **à moi**
or C'est **le mien** $\Big\}$ It is mine.

(3) He is a friend of *mine* = C'est **un de mes** amis
(one of my friends)

C. Present Tense of Irregular Verbs " croire " (to believe) and " devoir " (to owe)

croire (*to believe*)	devoir (*to owe*, *to have to*)
je crois	je dois
tu crois	tu dois
il (elle) croit	il (elle) doit
nous croyons	nous devons
vous croyez	vous devez
ils croient	ils (elles) doivent

* e.g. He has to, ought to, must go.
Il doit aller.

VOCABULARY

l'appareil de photographie	camera	l'anniversaire (f.)	birthday
le bras	arm	la chance	luck
le cadeau	present	la charrette	cart
les ciseaux	scissors	la félicitation	congratulation
le coteau	hillock	la grappe	bunch
le nom	name	la leçon d'anglais	English lesson
le pneu	tyre		
le raisin	grape	la montre-bracelet	wrist-watch
le stylo	fountain pen		
le vendangeur	grape harvester	la photo	photo
le vigneron	vine-grower	la propriété	estate
le vignoble	large vineyard	la vendange	grape-harvest
		la vigne	vine, small vineyard
avancer	to be fast		
couper	to cut		
cultiver	to cultivate	aimable	kind
emmener	to take (people)	crevé	punctured
emprunter (à)	to borrow (from)		
		alors	then
laisser	to leave	aux environs	in the neighbourhood
prêter	to lend		
ramasser	to pick up	comment allez-vous?	how are you?
ressembler (à)	to resemble		
retarder	to be slow		
sonner	to ring	en attendant	meanwhile
		en plein travail	hard at work
bonjour	good morning, good afternoon	hier soir	last night
		malheureuse-ment	unfortunately
bonsoir	good evening		
bonne nuit	good night (only when going to bed)	merci mille fois	a thousand thanks
		mon Dieu!	heavens!
		parmi	among
		tout le monde	everybody

LA VENDANGE

(Louise, jeune fille de 17 ans, sonne à la porte de la maison
des Dubois, et Pierre va ouvrir)

PIERRE : Qui sonne? Ah, c'est vous, Louise. Comment
allez-vous ? Qui voulez-vous voir?

LOUISE : Je vais très bien, merci. Est-ce que Marie est à la
maison ?

PIERRE : Mais non. Elle vient de sortir. (Il remarque le
paquet qu'elle porte sous le bras.) Qu'est-ce que c'est que
ça?

LOUISE : C'est l'appareil de photographie de Marie que je lui
ai emprunté. Le mien ne marche pas, vous savez. Mais
le sien est excellent. Je suis allée à Reims hier, chez mon
oncle Jules, qui est vigneron, et qui a une belle vigne aux
environs, et j'ai voulu prendre des photos.

PIERRE : Marie est sortie avec maman pour acheter une
montre-bracelet—vous savez que c'est aujourd'hui son
anniversaire—mais elle sera bientôt de retour. En
attendant, asseyons-nous dans le salon, et vous pourrez
me parler de votre journée à Reims, n'est-ce pas? Vous
êtes-vous bien amusée? Qu'est-ce que vous avez fait?
(Ils s'asseyent.)

LOUISE : Nous nous sommes levés de bonne heure, mon père
et moi, et nous sommes partis de la gare de l'Est à huit
heures du matin. Nous sommes arrivés à Reims à dix
heures et demie. Mon oncle est venu nous chercher à la
gare et il nous a emmenés en auto à sa propriété.

PIERRE : Vous avez vu la vendange?

LOUISE : Mais oui. Après le déjeuner nous sommes montés
au sommet d'un petit coteau, d'où nous avons vu les
vendangeurs en plein travail parmi les vignes.

PIERRE : Avec quoi coupent-ils les raisins?

LOUISE : Ils portent des ciseaux, vous savez, pour couper les
grappes, et ensuite ils les mettent dans des paniers, qu'ils
portent sur la tête, jusqu'aux charrettes. Nous y sommes
restés longtemps. Il a fait très chaud, et nous avons
mangé beaucoup de raisins ; nous en avons remporté
quelques grappes.

(Mme Dubois et Marie rentrent)

MME DUBOIS (dans le vestibule): A qui est ce parapluie? Qui est-ce qui est arrivé? Je crois que c'est Louise. (Elles entrent dans le salon.) Ah oui, c'est Louise. Bonjour, ma petite.

LOUISE : Bonjour, Madame Dubois. Bonjour, Marie. J'ai rapporté votre appareil. Vous êtes bien aimable de me l'avoir prêté. Et voici un petit cadeau pour votre anniversaire. Toutes mes félicitations. (Elle lui donne un petit paquet.)

MARIE : Merci mille fois. Qu'est-ce que c'est alors? Ah, quel beau stylo. Il ressemble un peu au tien, Pierre. Vous êtes vraiment bien gentille, Louise.

LOUISE : Mon Dieu! Il est déjà midi dix à ma montre. Je dois rentrer tout de suite.

MARIE : Je crois qu'il est seulement midi. Ma montre retarde de quelques minutes, mais la vôtre avance beaucoup. Malheureusement, ma bicyclette a un pneu crevé, mais maman vous prêtera la sienne, si vous voulez.

QUESTIONS

1. Qui a sonné à la porte des Dubois?
2. Qu'est-ce que Louise a rapporté?
3. Chez qui est-elle allée à Reims?
4. Qu'est-ce que c'est qu'un vigneron?
5. Avec quoi coupe-t-on les grappes de raisins?
6. Comment s'appellent ceux qui travaillent dans une vigne?
7. Qu'est-ce que Marie a reçu comme cadeau?
8. Avec quoi prend-on des photos?
9. Est-ce que votre montre avance ou retarde?
10. Quelle est la date de votre anniversaire?

EXERCISES

A. Translate :

I have rung, she has got up, we have received, they have remained, she has cut, we believe, they believe, we owe, they owe, I must go.

B. Fill in the correct interrogative pronoun :

   1. — a sonné à la porte?
   2. A — a-t-elle parlé?
   3. — elle a rapporté?
   4. Avec — est-elle sortie?
   5. Avec — a-t-il coupé le pain?
   6. — c'est qu'une montre?
   7. — vous avez mangé?
   8. — est arrivé à la maison?
   9. — buvez-vous?
  10. — avez-vous rencontré?

C. Translate :

   1. To whom are you speaking?
   2. Of what are you speaking?
   3. What is in the box?
   4. What is the matter with them?
   5. What is the matter?
   6. Whom have you seen?
   7. Who has gone out?
   8. Whose umbrella is this?
   9. What is that book?
  10. What is the French word for " fountain-pen "?

D. Replace the Nouns underlined by suitable Possessive Pronouns :

   1. Voici ma bicyclette ; où est *votre bicyelette*?
   2. Leur maison est petite ; *notre maison* est grande.
   3. Voici mes livres, et voilà *leurs livres*.
   4. Sa cravate est verte ; *ma cravate* est bleue.
   5. J'aime bien *votre enfant* et *ses enfants*.

E. Translate :

   1. Your house and his.
   2. This book is ours.
   3. My dogs and theirs (sing.).
   4. Whose pen is this?   It is hers.
   5. Here are some pencils.   They are mine.
   6. My watch is better than yours.

7. He is a friend of mine.
8. Our houses and theirs (pl.).
9. These presents are yours (pl.).
10. Her car is larger than his

F. Translate :

(Peter and his friend Charles are in a classroom at school)

PETER : The lesson is going to begin soon, and I have lost my English dictionary. Will you lend me yours, Charles?

CHARLES : Unfortunately, I have left mine at home. I went to the cinema with my parents last night, and I went to bed at eleven o'clock. I woke up very late, and I forgot all my books.

PETER : Ah, there is a dictionary that has fallen on the floor near your desk. (He gets up and picks it up.) Whose is it ? Why, it is Marcel's, and he has not arrived today. What luck!

ROBERT : It isn't yours, Peter. Marcel has lent it to me. Give it to me, please.

(The master enters)

THE MASTER : Sit down, everybody. Open your books. What have you written for today? Robert, to whom are you talking? What is the matter?

ROBERT : Peter has taken Marcel's dictionary, sir.

THE MASTER : Show it to me. What is this name? Oh yes, here is Marcel's name. Why did you take it, Peter?

PETER : I have lost mine, sir, and I borrowed his for this lesson.

THE MASTER : Very well. Let us begin the lesson. Who can tell me at what page it is necessary to begin?

G. Write in French a short imaginary conversation between a schoolboy (or schoolgirl), whose birthday it is, and a friend.

LESSON XVIII

GRAMMAR

A. The Imperfect (or Past Continuous) Tense

The Imperfect Indicative is formed by dropping the ending -ons of the 1st person plural of the Present Tense, and adding the endings -ais, -ais, -ait, -ions, -iez, -aient.

e.g. *Present :*   nous donnons, nous finissons, nous vendons.

Imperfect : je donn-**ais**, je finiss-**ais**, je vend-**ais**.

Imperfect of " donner "

je donnais (*I was giving, used to give, would often give*) tu donnais il donnait nous donnions vous donniez ils donnaient	Continuous action in the past or a state in the past.

Exception : " être " (*to be*)—Imperfect " j'étais " ; and note that verbs ending in " -cer " (e.g. commencer) require a cedilla before the imperfect endings beginning with " a," e.g. je commençais ; and those ending in " -ger " (e.g. manger) require an " e " before " a," e.g. je mangeais.

The Imperfect, with its descriptions, adds colour to a narrative that would be dull if it were merely a list of actions.

The Imperfect is used :

    1. For description of a state in the past.

        e.g. Il portait un chapeau gris.
            He was wearing (wore) a grey hat.
            Le soleil brillait.   La scène était gaie.
            The sun was shining. The scene was gay.
            La maison était petite.   Il était pauvre.
            The house was small.   He was poor.

2. For repeated actions, in the past—i.e. habits.

    e.g. Il se levait toujours à 6 heures.

        He used to (would) get up always at 6 o'clock.

Il buvait souvent du vin.	English, unlike French, does not always show the Imperfect by the form of the verb, e.g. he drank.
He often drank wine.	

3. For an action that was going on (continuous), when another action happened (interrupting).

    e.g. Je lisais un livre quand il est arrivé.

        I was reading a book when he entered.

4. To translate " *were to* do something " after " if."

    e.g. Si je vous donnais le livre.

        If I *were to* give you the book.

B. The Present Participle

In English the Present Participle ends in " -ing " (e.g. giving), and in French it is formed by adding -ant to the 1st person plural of the Present Tense after dropping the ending -ons.

                                Exceptions

e.g. *Present :*	donnons	avoir	ayant
Present Participle :	donnant	être	étant
	(*giving*)	savoir	sachant

Note.—Reflexive verbs require the Reflexive Pronoun.

    e.g. se levant (*getting up*)

Verbs of Motion and Reflexive Verbs require " étant " for " having," e.g. étant parti (*having gone away*), s'étant levé (*having got up*).

The Present Participle is used :

    1. As part of a verb, in which case it is invariable.

        e.g. Les enfants, **voyant** leur mère . . .

          The children, seeing their mother . .

2. "En" (meaning " on, by, when, while ") is often added.

    e.g. **En arrivant** à la gare, je vais au guichet.

        On arriving at the station, I go to the booking-office.

3. As an adjective, in which case it agrees.

        e.g. Une femme **charmante**   A charming woman

NOTES

(1) " -ing " is translated by the infinitive after verbs of *perception* such as " voir," " entendre," " écouter," " regarder."

    e.g. I see him com*ing*.   Je le vois **venir**.

(2) In other cases, when " -ing " does not refer to the subject of the sentence, the present participle cannot be used, and " qui " plus verb must be used instead.

    e.g. I met a man carrying a sack.

    J'ai rencontré un homme **qui portait** un sac.

(3) " -ing " can be translated by a past participle.

    e.g. Arrivé à la gare.

    Arriv*ing*, hav*ing* arrived, at the station.

C. Prepositions + Gerund

In English we use the gerund ending in " -ing " after all prepositions (e.g. after see*ing*, before go*ing*), but in French all prepositions, except " en " (e.g. en voyant—on seeing) must be followed by an infinitive.

e.g. sans **voir**	without see*ing*
avant de **venir**	before com*ing*
après **avoir** donné	after hav*ing* given
après **être** allé	after hav*ing* gone
après **s'être** levé	after hav*ing* got up

Note.—In the following cases " -ing " is not translated by a present participle, but by a past participle.

accoudé	leaning (elbows)	endormi	sleeping
		penché	leaning
agenouillé	kneeling		(forward)
assis	sitting	suspendu	hanging
couché	lying		

    e.g. He was sitting.   Il était assis.

    (= " seated."   a state, not an action).

D. Present Tense of Irregular Verbs "conduire" (to lead or take) and "rire" (to laugh)

conduire (Similarly most verbs in "-uire")	rire (Similarly "sourire" = *to smile*)
je conduis	je ris
tu conduis	tu ris
il conduit	il rit
nous conduisons	nous rions
vous conduisez	vous riez
ils conduisent	ils rient

Note.—" Conduire " is used for " to lead, take or conduct " in the case of people or animals.

  e.g. Je le conduis à la maison.   I take him home.

It is also used for " to drive " in the case of vehicles.

  e.g. Le chauffeur conduit l'auto.

    The chauffeur drives the car.

(Use " porter " (*to carry*) for things.

  e.g. Je porte la valise à la gare.

    I *take* the suitcase to the station.)

    " prendre " means " to take hold of."

VOCABULARY

l'appartement (m.)	flat	la barbe	beard
		la goutte	drop
le bonhomme	fellow, chap	la joue	cheek
le cabinet de travail	study	les lunettes	spectacles
		la pluie	rain
les cheveux	hair		
le directeur	headmaster	clair	clear
l'hôte	host	distrait	absent-minded
le nuage	cloud	maigre	thin
l'orage (m.)	storm	malpropre	dirty
le pyjama	pyjamas	pareil (f. -lle) }	such,
le sac	knapsack	tel (f. telle) }	similar
le seuil	threshold	trempé	wet
le vieillard	old man	jusqu'aux os	through
		à l'ombre	in the shade
balbutier	to stammer		
causer	to chat		

couler	to flow	afin de	in order to
enseigner	to teach	cependant	however
expliquer	to explain	comment se	how is it?
*pleuvoir	to rain (in	fait-il?	
(à verse)	torrents)	juste à temps	just in time
s'installer	to install one-	mon vieux	old fellow, my
	self		dear chap
se réfugier	to take refuge	ne ... ni ... ni	neither ... nor
*se remettre	to set out	partout	everywhere
en route	again	pas de pro-	
se trouver	to be found	fesseur	no professor
*sourire	to smile	personne	nobody
tomber	to fall	quelque part	somewhere
		qu'est-il	what has become
		devenu?	of him?
		si, tellement }	so, to such an extent

Le Professeur Distrait

Le professeur Leblanc, qui enseignait l'histoire au lycée X, à Paris, était souvent très distrait.

C'était un grand homme maigre, à la barbe blanche, qui portait de grosses lunettes et qui fumait toujours une vieille pipe malpropre.

Il habitait seul un petit appartement près du lycée. En hiver il sortait rarement, mais en été, quand il faisait beau, il avait l'habitude de se promener le dimanche à la campagne.

Un dimanche d'été il s'est levé de bonne heure, et après avoir pris le petit déjeuner, il est sorti, la canne à la main, le sac au dos, pour rendre visite à des amis qui s'appelaient Duclos, et qui demeuraient dans un petit village à quinze kilomètres environ de Paris.

Le temps était superbe ; le soleil brillait dans un ciel clair, les oiseaux chantaient, la nature souriait, les arbres fruitiers étaient en fleurs. Le vieux Leblanc est arrivé chez ses amis juste à temps pour déjeuner.

Après le repas la famille s'est installée dans le jardin. Assis à l'ombre d'un pommier en fleurs, le professeur, en causant avec ses amis, en lisant, et en fumant sa pipe, a passé un après-midi très agréable.

Cependant, vers cinq heures du soir de gros nuages noirs ont couvert le ciel, et il a commencé à pleuvoir à verse. La famille s'est refugiée dans le salon, et, en regardant la pluie par la fenêtre, M. Duclos a dit: " Mon cher professeur, vous ne devez pas rentrer par un temps pareil. Il faut passer la nuit chez nous. Vous pourrez vous remettre en route demain, n'est-ce pas? "

" Vous êtes bien aimable," a répondu le professeur, " et j'accepte avec plaisir, surtout puisque je n'ai ni pardessus ni parapluie."

En quittant la salle à manger après le dîner, son hôte a conduit le vieux bonhomme dans son cabinet de travail, où il s'est installé confortablement dans un fauteuil.

Au bout d'une heure Mme Duclos est entrée dans le cabinet de travail. Pas de professeur! " Où est-il donc? " s'est-elle demandé. " Je ne l'ai pas vu sortir. Il s'est peut-être perdu quelque part dans la maison. Il est tellement distrait."

Son mari et elle l'ont cherché partout. "Personne! Sapristi, qu'est-il devenu? " s'est écrié enfin M. Duclos. " Il est presque minuit, et il pleut toujours."

A cet instant on a frappé à la porte. M. Duclos l'a ouverte. Là, sur le seuil, se trouvait M. Leblanc. Il était trempé jusqu'aux os, la pluie coulait sur ses joues, des gouttes d'eau tombaient de sa barbe.

" Qu'est-ce qui est arrivé? " lui a demandé son hôte. " Pourquoi, mon vieux, êtes-vous sorti par un tel orage? "

" Mes chers amis," a balbutié le vieillard, " je vais vous expliquer tout. Comme vous m'avez invité à passer la nuit chez vous, je suis rentré chez moi afin de rapporter mon pyjama."

QUESTIONS

1. Qu'est-ce que le professeur enseignait au lycée?
2. Comment était M. Leblanc?
3. Qu'est-ce qu'il faisait les dimanches d'été?
4. Que portait-il à la main ; et sur le dos?
5. Où demeuraient ses amis, les Duclos?
6. Où est-ce que le professeur a passé l'après-midi?
7. Qu'est-ce que M. Duclos a dit, en voyant la pluie?

8. Qui a cherché partout dans la maison?
9. Pourquoi M. Leblanc est-il sorti?

EXERCISES

A. Replace the following Present Tenses by the Imperfect :

je finis, ils mangent, elle lit, vous faites, il écrit, je commence, ils prennent, elle boit, vous dites, je connais.

B. Translate :

finishing, being, on reading, knowing (savoir), writing, while saying, after having seen, before arriving, having arrived, sitting, lying down, without looking, I hear him singing, an amusing story, he met some men running.

C. Translate :

we are laughing, is he laughing? he is driving a car, we take him there, I take my letters to the post office.

D. Translate :

Our French master* when I was at school was very absent-minded. His name was Lerouge, and he was a small, thin man, who was about sixty. He had (the) white hair and very large spectacles.

He used to get very angry when we talked during his lessons, and sometimes he threw a book at a pupil who was not working.

One day Dr. Vincent, the headmaster, invited him to spend the evening at his house, to (pour) play cards.

On arriving there, old Lerouge, who did not play well, sat down in a corner of the drawing-room hoping to watch the others play. His host saw him, however, and asked him to (de) fetch some cards in another room.

After half an hour, as he did not come back, the headmaster went to see where he was. He found him sleeping in one of the bedrooms.

Poor Lerouge was so absent-minded that he had (avait) forgotten the cards, and was thinking that he was at home.

E. Write in French a short story about some amusing or eccentric person you know—or recount the story of " Le Professeur Distrait " from memory.

* professeur de français.

LESSON XIX

GRAMMAR

A. The Past Historic (or Past Definite) Tense

The Past Historic Tense is used in French in *written narratives* for actions completed at a definite time in the past which carry the story forward. It fulfils the same function as the Perfect Tense fulfils in *conversation and letters*.

There are three types of endings. (Add required type to the stem of the infinitive.)

Type 1

Verbs ending in " -ER " (no exceptions), e.g. donner.

je donn-**ai** (*I gave*)	*Note.*—Before vowel " **a** " throughout write " je mangeai, etc.," " je commençai, etc." with "-ger" and " -cer " verbs.
tu donn-**as**	
il donn-**a**	
nous donn-**âmes**	
vous donn-**âtes**	
ils donn-**èrent**	

Type 2

Verbs ending in " -IR " and " -RE " (including some irregular verbs with these endings).

e.g. finir	vendre
je fin-**is** (*I finished*)	je vend-**is** (*I sold*)
tu fin-**is**	tu vend-**is**
il fin-**it**	il vend-**it**
nous fin-**îmes**	nous vend-**îmes**
vous fin-**îtes**	vous vend-**îtes**
ils fin-**irent**	ils vend-**irent**

It is advisable to consult the Verb Table (page 212) for irregular verbs with these infinitive endings. Some *drop a syllable* and some *add a syllable* in their *stem*.

Note the following verbs in **-ir** and **-re** which take endings of Type 3:

Exceptions		*Peculiarity*	
connaître	je connus	être	je fus
courir	je courus		
lire	je lus		
mourir	je mourus		
se taire	je me tus		

and " venir " (*to come*) and " tenir " (*to hold*) insert **n**.

e.g. je vins   nous vînmes
     tu vins   vous vîntes
     il vint   ils vinrent

Type 3

Verbs ending in " -OIR(E) " (e.g. vouloir, boire, etc.—all being irregular verbs).

e.g. vouloir (*to wish*)

                    je voul-us
                    tu voul-us
                    il voul-ut
                    nous voul-ûmes
                    vous voul-ûtes
                    ils voul-urent

Exceptions		*Peculiarity*	
s'asseoir	je m'assis	avoir	j'eus
voir	je vis		

Example to show correct use of Past Historic (completed action in past in narrative), Imperfect (continuous action in past), and Perfect (completed action in past in conversation) :

Comme il *pleuvait, M. Dubois mit son imperméable, prit son parapluie, et courut vite au café où il trouva son ami, qui l'*attendait. " Je suis allé vous chercher chez Lebrun," dit son ami, " mais je ne vous y ai pas trouvé."

As it was raining, Mr. Dubois put on his mackintosh, took his umbrella, and ran quickly to the café, where he found his friend, who was waiting for him. " I went to look for you at

---

* These verbs do not describe a completed, but a continuous action, and are therefore Imperfect.

Lebrun's house," said his friend, " but I did not find you there."

Warning Notes

1. " Was " is not always a sign of the Imperfect, but is translated by the Past Historic in the following cases :

    (*a*) He *was* killed (Passive—not to be confused with active " he was killing ").

      Il **fut** tué   (Not a continuous, but a completed action).

    (*b*) " It is true," *was* the reply.

      " C'est vrai," **fut** la réponse (Completed action).

2. One word in the past tense in English is not necessarily always a sign of the Past Historic in French, but is often used in descriptions of people or scenes.

    e.g. The road *led* to the field.

      Le chemin conduis**ait** au champ.

      The man smoked a pipe.

      L'homme fum**ait** une pipe.

3. Do not confuse, owing to " r " before ending :

    Past Historic : je montrai   ⎱ Similarly :

    with *Future :*   je montrerai ⎰   " entrer, rentrer."

VOCABULARY

le barreau	bar	la besogne	task, job
le bond	jump	l'idée (f.)	idea
le cirque	circus	la patte	paw
l'emploi	employment	la peau	skin
l'équilibre	balance		
le plancher	floor	faux (fausse)	false
le saut	jump	féroce	ferocious
le singe	monkey	malheureux	unfortunate
le soulier	shoe	trapu	thick-set
le vagabond	tramp	troué	in holes
le veston	jacket	utile	useful
		usé	worn, threadbare
se briser	to break		
conserver	to preserve	arriver à	to arrive just at
glisser	to slip	propos	the right time

*mourir	to die	au-dessus de	above
remplacer	to replace	à moi !	help!
*souffrir	to suffer	au secours !	
*se taire	to be silent	en arrière	backwards
		fort	strongly
		tout bas	in a low voice, whisper
		il venait de mourir	he *had just* died
		volontiers	willingly

La Cage du Tigre

Un pauvre vagabond se présenta un jour à un cirque pour chercher un emploi. C'était un petit homme trapu. Il n'avait pas de pardessus, et il portait un veston usé et des souliers troués ; il souffrait du froid et de la faim, et il espérait gagner un peu d'argent en faisant quelque besogne utile.

Le jour même où il arriva un gros singe venait de mourir, et il était impossible de le remplacer tout de suite. On conduisit le vagabond au directeur, qui le reçut et qui lui expliqua son idée.

" Vous arrivez à propos," lui dit-il. " Notre chimpanzé est mort ce matin. Si vous voulez vraiment du travail, tout ce que vous aurez à faire, c'est de mettre sa peau que nous avons conservée, et de passer quelques heures par jour dans sa cage."

Le pauvre homme accepta volontiers ces conditions, mit la peau du singe, et entra ce soir-là dans sa cage, qui se trouvait justement au-dessus de celle du tigre.

Malheureusement, pour amuser les spectateurs, le nouveau singe fit quelques bonds d'un barreau à l'autre, glissa tout à coup, perdit son équilibre, et tomba.

Le plancher de sa cage se brisa, et le malheureux, tombant à terre, se trouva à quelques pas du tigre, qui dormait le nez entre ses pattes de devant.

" A moi ! Au secours! " s'écria le faux singe, saisi de peur, en faisant un saut en arrière.

" Tais-toi, mon vieux," répondit tout bas la bête féroce. " Veux-tu me faire perdre aussi mon emploi? "

QUESTIONS

1. De quoi souffrait le vagabond?
2. A qui se présenta-t-il?
3. Qui venait de mourir?
4. Qu'est-ce que le vagabond devait faire?
5. Où se trouvait la cage du singe?
6. Pourquoi le vagabond tomba-t-il?
7. Qu'est-ce qui se brisa?
8. Où se trouvait le tigre?
9. Est-ce que le vagabond avait peur?
10. Qu'est-ce que le tigre lui dit?

EXERCISES

A. Change the Infinitive in brackets into the correct form of the Past Historic :

1. Ils (aller) à Paris.
2. Elle (vendre) du chocolat.
3. Vous (faire) cela.
4. Nous (mettre) nos chapeaux.
5. Il (manger) un biscuit.
6. Ils (écrire) des lettres.
7. Je (lire) un livre.
8. Vous (finir) le travail.
9. Nous (s'asseoir) sur un banc.
10. Elle (courir) à la poste.
11. Je (commencer) à pleurer.
12. Elle (voir) son frère.
13. Vous (tenir) la valise.
14. Il (mourir) de faim.
15. Nous (être) saisis.

B. Change the Infinitive to the correct form of the *Imperfect*, *Past Historic*, or *Perfect*, as required :

M. Dubois (partir) de la maison à huit heures, (courir) à la gare, (acheter) un billet, et (attendre) le train sur le quai. Pendant qu'il l'(attendre), il (lire) son journal. Il (pleuvoir). Son ami, M. Lebrun, (arriver) enfin. Il ne (avoir) pas de parapluie. " Je (aller) à Paris hier, et je (laisser) mon parapluie dans un compartiment du métro," lui (expliquer) -il.

C. Translate :

When the train arrived Mr. Dubois chose a compartment, found a comfortable corner, sat down, lit a cigarette, put on his spectacles, and began to read a novel. The porters shouted, the train started off, and travelled fast towards Paris.

D. Translate :

A tramp arrived one day at a small town. It was raining, and he was cold and hungry. He wore shoes that were in holes, but unfortunately he had no money,

He stopped in front of a shoemaker's shop in the market square. As he was looking at the shoes he had an idea. He entered the shop and said to the shoemaker : " I wish to buy a pair of shoes. I can pay for them. A kind woman gave me some money this morning, and I have also earned five hundred francs."

The shoemaker brought him some shoes, and he put on a fine pair of new shoes. Then he took (made) a few steps to try them. " These shoes suit (go) me well," said he, and he walked slowly towards the door.

Suddenly he ran away as fast as possible. The poor shoe-maker followed him, shouting " Stop thief ! "*, but the tramp soon reached the corner of the street and disappeared.

E. Recount in French a short anecdote, using the Past Historic as the main tense.

* "au voleur !"

LESSON XX

GRAMMAR

A. Negatives

1. *Negation with a Verb*. In addition to " ne...pas (*not*) " there are other negatives formed with " ne " plus Verb.

* ne...aucun (-e)	*not any*
ne...guère	*hardly, scarcely*
* ne...jamais	*never*
* ne...ni...ni	*neither...nor*
* ne...nul (f. nulle)	*not any*
* ne...pas un (une)	*not one*
* ne...personne	*nobody*
ne...plus	*no longer, no more*
ne...point	*not at all*
ne...que	*only*
* ne...rien	*nothing*

NOTES

(*a*) *Position* is similar to that of " ne...pas," e.g.
Simple Tense :   je ne donne plus   I no longer give
Compound Tense : je n'ai plus donné   I have no longer given
but in Compound Tenses " personne " comes after the past participle.

      e.g. je n'ai vu personne   I have seen nobody

(*b*) " Que " comes immediately before the word it modifies, and " ne...que " can be used when a verb has an object or adverbial phrase.

      e.g. Je n'arriverai chez vous qu'à midi.
        I shall reach your house only at 12 o'clock.

(*c*) *Both* parts of " ne...pas," " ne...plus," " ne...point," " ne...jamais," " ne...rien " come *before* an Infinitive.

        e.g. Il vaut mieux ne pas venir.
         It is better not to come.

(*d*) " Pas " may be omitted with " cesser (*to cease*), oser (*to dare*), pouvoir (*to be able*), savoir (*to know*)," when an infinitive follows.

> e.g. Je ne pouvais le faire.
>   I was not able to do it.

Also note :   N'importe (*It does not matter*).

(*e*) Those negatives which are marked with an asterisk are reversed when the negative comes *first* in the sentence in English. " Ne " always stays in its usual position.

> e.g. *Nobody* is here.
>   Personne n'est ici.
>   *Nothing* is lost.
>   Rien n'est perdu.
>   *Never* will I go there.
>   Jamais je n'y irai.

(*f*) " Sans " (without) has negative force like " ne."

> e.g. Sans rien dire
>   Without saying anything
>   Sans voir personne
>   Without seeing anybody

2. *Negation when Verb is omitted but understood.* In a negative answer to a question in conversation, when the verb is omitted, but understood, the *second* part of the negative is used alone.

> e.g. Qui est là?   Personne.
>   Who is there?   (There is) Nobody.
>   Que dit-il?   Rien.
>   What does he say?   Nothing.
>   Qui a dit cela?   Pas moi.
>   Who said that?   (It was) Not me.
>   Ni l'un ni l'autre.   Neither one nor the other.

3. *Negative with any word other than a verb.* " Non " is used to negative any word other than a verb.

> e.g. Non loin du village se trouvait un château.
>   Not far from the village was a castle.
>   Ni moi non plus.   Nor I either.
>   Non seulement.   Not only.

" Pas " is added for emphasis :

Venez avec nous, non pas avec eux.   Come with us, not with them.

Note the expression :

Pas du tout   Not at all

4. " Aucun " and " nul " can be used as pronouns and adjectives.

e.g. **Aucun** n'a répondu.   None answered.

Je n'ai entendu **aucune** voix.   I heard not a single voice.

5. *After a Comparative* " ne " is inserted in French.

e.g. Il est plus intelligent que vous **ne** le croyez
He is more intelligent than you think.

B. Inversion of Subject and Verb in special cases

In French the subject and verb are inverted :

(*a*) After spoken words in inverted commas.

e.g. " Come in ! " he said.   " Entrez ! " **dit-il.**

(*b*) After " à peine " (hardly), " peut-être " (perhaps),
" aussi " (so, therefore).

e.g. Peut-être arrivera-t-il.   Perhaps he will arrive.

(*c*) In subordinate adjectival clauses introduced by " où "
(where) and " que " (whom, which).

e.g. La maison **où** demeurait la femme.
The house *where* the woman lived.
La route **que** prennent les voyageurs.
The road *which* the travellers take.

VOCABULARY

le chef de train	guard	la colère	anger
		la dent	tooth
le contrôleur	ticket collector	la glace	carriage-window
le cri	cry		
l'étonnement	astonishment	l'idée (f.)	idea
le fumeur	smoker	la maîtresse	mistress
le guichet	ticket office	l'odeur (f.)	smell
le malheureux	wretch	la portière	carriage door

le paysan	peasant	la salle d'attente	waiting room
le tour	turn	la tante	aunt
aboyer	to bark		
allumer	to light	étonné	astonished
arracher (à)	to snatch	farouche	wild
baisser	to lower	immobile	motionless
cesser (de)	to cease	isolé	isolated
*craindre	to fear		
s'évanouir	to faint	alors	then
éviter	to avoid	brusquement	abruptly
s'exclamer	to exclaim	en face de	opposite
*paraître	to appear	ensuite	next
se préparer (à)	to prepare to	exprès	on purpose
		ni … non plus	nor … either
rester	to remain	paisiblement	peacefully
*revoir	to see again	partout	everywhere
*sortir	to take out	tout à coup	suddenly
se venger	to have revenge	sans cesse	ceaselessly
		sur le point de	on the point of

" Prochain " (next) comes before its noun when it means " next, of a series " ; after its noun when it means " next, of time." Similarly " dernier " (last).

Un Chien Intelligent

Un paysan arriva un jour à une petite gare de campagne pour aller en chemin de fer à la ville voisine.

Il acheta son billet au guichet, le montra au contrôleur, s'assit dans la salle d'attente pour lire son journal. Au bout d'un quart d'heure le train arriva.

Le paysan choisit un compartiment de fumeurs, et y monta.

Assise dans un coin, en face de lui, se trouvait une vieille dame, de mauvaise humeur, avec son petit chien, qui aboyait sans cesse.

Le chef de train donna le signal du départ, la locomotive siffla, le train partit.

Le paysan sortit sa pipe de sa poche, l'alluma et se mit à fumer paisiblement.

La dame s'exclama : " Monsieur, vous n'allez pas fumer ici. Moi, je n'aime point l'odeur du tabac—ni mon chien non plus."

" Mais si,* madame," répondit poliment le paysan. " C'est un compartiment de fumeurs. Je l'ai choisi exprès." Et il continua à fumer.

Elle ne dit plus rien, mais son visage devint rouge de colère, et elle le regarda d'un œil farouche.

Tout à coup elle se leva, arracha la pipe à la bouche du paysan, et la jeta par la portière.

Le paysan, tout étonné, resta un instant immobile, la bouche ouverte, sans rien dire. Le petit chien ne cessa d'aboyer.

Le paysan regarda la bête ; l'idée lui vint de se venger.

Il se leva brusquement à son tour, saisit l'animal des bras de sa maîtresse, baissa la glace, et le jeta aussi par la portière, en disant : " Toi, va chercher ma pipe."

La dame poussa un cri d'horreur. " Ah, malheureux," s'écria-t-elle. " Qu'avez-vous fait? Je ne reverrai jamais mon cher Toto." Elle était sur le point de lui donner un coup de son parapluie, mais à cet instant elle s'évanouit.

A la prochaine gare le paysan se prépara à descendre.

Se penchant à la portière il vit, à son grand étonnement, le chien, qui les attendait sur le quai, la pipe entre les dents.

* *Note.*—Use " si " for " yes " after a negative question.

QUESTIONS

1. Où est-ce que le paysan acheta son billet?
2. Quel compartiment choisit-il?
3. Qui était assise en face de lui?
4. Qu'est-ce qui aboyait beaucoup?
5. Qu'est-ce que le paysan sortit de sa poche?
6. Que dit la vieille dame?
7. Que répondit le paysan?
8. Que fit alors la dame?
9. Que fit ensuite le paysan?
10. Pourquoi le paysan fut-il étonné à la prochaine gare?

EXERCISES

A. Make the following sentences *negative*, using the negative expressions indicated for each :

1. (pas) Il a de l'argent.
2. (jamais) Je l'ai vu à Paris.
3. (que) Nous avons aujourd'hui 20,000 francs.
4. (ni . . . ni) Elle achète des fleurs et des légumes.
5. (aucun) Ils ont trouvé une lettre.
6. (guère) Il leur parle.
7. (personne) J'ai rencontré.
8. (point) Je l'aime.
9. (rien) Nous avons trouvé.
10. (plus) L'entendez-vous?

B. Translate :

1. I never go.
2. He no longer reads.
3. We have only 10 francs.
4. They do nothing.
5. Nobody comes here.
6. I hardly know him.
7. He has not any books.
8. Nothing is lost.
9. I have never seen.
10. He has met nobody.
11. It is better not to speak.
12. They have neither pen nor pencil.
13. Never have I lost.
14. He cannot go out.
15. What do you see?   Nothing.
16. Who has sold it?   Nobody.
17. Who wishes to go?   Not he.
18. Nor I either.
19. Come with us, not with him.
20. Not far from the town there was a castle.
21. He comes to Paris only on Mondays.
22. It doesn't matter.

23. Not one was here.
24. I never buy anything.
25. Not at all.

C. Translate :

A young peasant, who lived in an isolated village where
there were no cars, came to Paris to spend a few weeks with
his uncle, who kept a small café.

When he arrived at the station he found neither his uncle
nor his aunt on the platform.   He searched everywhere, but
in vain.   Nobody was waiting for him.   He had (*avait*)
never visited Paris, and, fearing to (*de*) lose himself in the great
city, he hired a taxi, and gave (to) the driver his uncle's
address.

The taxi travelled so fast that the peasant was afraid, and
the chauffeur only avoided a bus by (*en*) mounting (on) the
pavement.

The peasant, very astonished, called out to the driver :
" Take care*.   It is the first time that I have travelled (say :
am travelling) by car."   " Sir," replied the chauffeur, smiling,
" it is the first time that I have driven (say : am driving) one
(of them)."

D. Recount in French, from memory, either the story " Le
Chien Intelligent," or the story " Le Paysan à Paris."

* Faites attention.

REVISION

(Lessons XVI–XX)

A. (*a*) *Present :* he leads, we lead, I laugh, they laugh, do you believe? she does not believe, they believe, I owe, we owe, they owe.

(*b*) *Perfect with " être " :* she has arrived, they have come, we have got up, she has sat down, they have spoken to each other.

(*c*) *Imperfect :* I was writing, he was eating, you were reading, we were making, she was beginning.

(*d*) *Present Participle :* finishing, having, writing, reading, doing.

(*e*) *Past Historic :* they went, he sold, she came, I wrote, we read, he put, they made, I took, she saw, they received.

B. *Interrogative and Possessive Pronouns*

1. Who has arrived?   What has he brought?
2. Whom did you see?   To whom were you speaking?
3. What is that?   Of what are you speaking?
4. Whose books are these?   They are mine.
5. Here is our car.   Yours is bigger.

C. *Negatives*

1. He never gives us anything.
2. Nobody will be able to find them.
3. I told him not to go there.
4. She wears neither gloves nor hat.
5. We rang only once.   There was no answer.

D. *Use of Tenses (Perfect, Imperfect, Past Historic),* **and** *Present Participle*

1. " We got up at 7.30," he said, " and we arrived there before 9."
2. " On arriving at the café we met our friends, who were waiting for us," she explained.

3. He wrote a few letters, then he went to bed, because he was tired.

4. They used to go to the seaside every summer, and they often bathed.

5. That evening, sitting on the gate, old Peter watched the cars passing.

E. *Composition*

(*a*) Write a short letter or conversation on one of the following topics (using the Perfect as narrative tense) :

1. Une visite à Paris, ou à Londres.
2. La Vendange, ou Le Tour de France.

(*b*) Recount one of the following (using the Past Historic as narrative tense) :

1. Une Aventure amusante ou désagréable.
2. Une Anecdote.

LESSON XXI

GRAMMAR

A. The Conditional Tense (or Future-in-the-Past)

The Conditional is formed by adding the *endings* of the Imperfect (-ais, etc.) to the *stem* of the Future.

e.g. Future : je donnerai (Stem : donner-)

Conditional :
je donnerais   *I should, would give, etc.*
tu donnerais
il donnerait
nous donnerions
vous donneriez
ils donneraient

This tense is used :

1. To express "would" or "should" in expressions such as
Je voudrais aller   I should like to go.
Je devrais aller   I should (= ought to) go.

2. In reported speech, to report what was originally a Future in Direct Speech :

e.g. *Direct*

Il dit : " J'arriverai bientôt."
He said : " I shall arrive soon."

Reported

Il dit qu'il arriverait bientôt.
He said that he would arrive soon.

3. After a Conditional Clause introduced by " si " (if) plus Imperfect.

e.g. Si je partais aujourd'hui, j'arriverais à temps.
If I were to leave today, I should arrive in time.
Si je l'avais vu, je lui aurais parlé.
If I had seen him, I would have spoken to him.

NOTES

(*a*) The Conditional must be used when implied after
" quand, lorsque (*when*)," " dès que, aussitôt que (*as soon as*),"
and other conjunctions of time :

  e.g. He said he would come *when he was* in Paris.

   Il dit qu'il viendrait **quand il serait** à Paris.

(*b*) When " would, should " imply determination use verb
" vouloir (*to wish*)," not Conditional.

  e.g. He *would* not answer.

   Il ne voulait pas répondre.

(*c*) When " would " = " used to," use Imperfect.

  e.g. He *would often* go.

   Il allait souvent.

(*d*) When " would you " is a polite request use " voudriez-
vous."

  e.g. *Would* you shut the door?

   Voudriez-vous fermer la porte?

B. SI (= IF)

 1. " Si " when meaning " if " uses the same tense in French
as after " if " in English, *not* the Future or Conditional.

  e.g. If he arrives tomorrow

   S'il arrive (Present) demain

   If he were to arrive (or should arrive) or arrived

   S'il arrivait (Imperfect)

 2. " Si " meaning " whether " can take the Future or
Conditional.

  e.g. I wonder if he will come.

   Je me demande s'il **viendra.**

   I wondered if he would come.

   Je me demandais s'il **viendrait.**

NOTES

(*a*) Write " s' " for " si " before " il " or " ils " only, but
not before " elle, elles."

  e.g. s'il, s'ils

  but si elle, si elles

(*b*) Do not confuse " si " (= if) with " si " (= yes) used
after a negative.

e.g. Vous n'avez pas d'argent?

Si, j'ai mille francs.

You have no money?

Yes, I have a thousand francs.

VOCABULARY

l'avion (m.)	aeroplane	la marine	navy
l'avoué (m.)	solicitor, lawyer	la quinzaine	fortnight
le baccalauréat (le " bachot ")	matriculation exam.	étranger	foreign
		fort	strong
le gratte-ciel	skyscraper		
le soldat	soldier	à mon avis	in my opinion
		à ma place	in my place
se demander	to wonder	il vaudrait	it would be
se présenter à	to take (an exam.)	mieux	better to
		à l'étranger	abroad
perfectionner	to perfect	tout de même	all the same
valoir	to be worth		

Note.—" Je voudrais " has the meaning of " I should *like* to " in the Conditional.

LE CHOIX D'UNE CARRIÈRE

M. DUBOIS : Eh bien, Pierre, il faudra bientôt choisir une profession ou un emploi. Si tu es reçu à ton " bachot " cette année, et si tu quittes le lycée, qu'est-ce que tu as l'intention de faire?

PIERRE : Je voudrais être pilote dans l'aviation civile. Je sais que j'aurais à travailler ferme. Je suis fort en mathématiques, mais je me demande si je réussirai en anglais.

MME DUBOIS : Mais tu verrais beaucoup de pays étrangers. J'ai toujours voulu voyager à l'étranger, mais on n'a jamais ni le temps ni l'argent.

PIERRE : Je voudrais bien visiter l'Amérique pour voir New York et ses gratte-ciel, par exemple.

M. DUBOIS : Mais d'abord ce serait une bonne idée d'être reçu à ton examen. C'est au mois de juin que tu te présentes, n'est-ce pas? Tu n'es pas très fort en anglais?

PIERRE : C'est vrai. Je voudrais bien passer une ou deux semaines en Angleterre pendant les vacances de Pâques pour me perfectionner dans la langue.

Quand il était à Paris l'été dernier mon ami Jones a dit qu'il m'inviterait à passer une quinzaine chez lui cette année. Je vais lui écrire tout de suite.

MME DUBOIS : Bon. Tu pourras lui dire que nous serons enchantés de le recevoir ici après l'examen. S'il accepte, dis-lui de nous faire savoir à peu près la date de son arrivée.

M. DUBOIS : Moi, à ta place, j'aurais choisi la marine marchande. On voyage moins vite, c'est vrai, mais c'est tout de même moins dangereux.

PIERRE : Tu le penses, papa? A mon avis il y a moins de danger dans les airs que sur mer, ou sur terre. Il vaudrait mieux être pilote d'avion.

MME DUBOIS : Ton oncle disait toujours, quand il était jeune, qu'il serait soldat quand il aurait quitté le lycée, mais le voilà avoué. Il faut attendre un peu ; on change souvent d'opinion.

QUESTIONS

1. Qu'est-ce Pierre a l'intention de choisir comme profession?
2. Est-ce qu'il est fort en anglais?
3. Qu'est-ce qu'il voudrait voir à New York?
4. A quelle date se présente-t-il à son examen?
5. Comment s'appelle son ami anglais?
6. Quelle profession l'oncle de Pierre a-t-il choisi?
7. Quelle profession M. Dubois aurait-il choisi?
8. A quelle profession vous destinez-vous?
9. Quel pays voudriez-vous visiter en Europe?
10. Aimez-vous mieux voyager en avion qu'en bateau?

EXERCISES

A. Give the 1st Person Singular, and the 1st Person Plural of the Conditional of :

aller, avoir, courir, être, faire, mourir, pouvoir, venir, voir, vouloir.

B. Translate :

   1. I should like to go with him.
   2. He said that he would go.
   3. He said he would go when they arrived.
   4. He would often go there last year.
   5. She was angry, and would not go.
   6. Would you shut the door, please?
   7. I was wondering if you would come.
   8. If he came I should be glad.
   9. If he comes tomorrow, I shall see him.
  10. I do not know if he will come.

C. Translate (See Vocabulary, p. 127) :

M. Dubois : What would you like to do this afternoon, (my) children?

Mary : We should like to go in the car to X. to see the competitors in the " Tour de France." It is the first stage today. Maurice said they would pass through X. It would be very interesting to (de) see them.

M. Dubois : Ask your mother if she would like to come with us.

Peter : Mother said this morning she would come if it were fine.

M. Dubois : Good. The gardener told me that it would be fine to-day.

Peter : Maurice said if we arrived there before 2 p.m. we should see all the competitors pass and that would be fine. I should see my friend René. I am sure he would be pleased if I were there to encourage* him.

D. Write in French a few lines about the profession or occupation you would like to follow. (See p. 226.)

              * encourager.

LESSON XXII

GRAMMAR

A. VERB + INFINITIVE

In French there are four ways of dealing with an infinitive following a verb :

1. By using the infinitive <u>without a preposition</u> (i.e. the direct infinitive).

e.g. I wish *to read*.   Je veux **lire**.

The direct infinitive is used after :

(*a*) Most verbs of *motion* :

aller (*to go*)	monter (*to mount*)
courir (*to run*)	retourner (*to go back*)
descendre (*to descend*)	venir (*to come*)
entrer (*to enter*)	

and compounds, such as rentrer (*to come in again*)

e.g. I go *to see* him.   Je vais le **voir**.

but I shall go to London next week to see him.

J'irai à Londres la semaine prochaine **pour** le **voir**. (Insert " pour " when verb is widely separated from infinitive, and generally after " partir " and " sortir.")

(*b*) Verbs of *mood* :

devoir (*to have to*)	pouvoir (*to be able*)
espérer (*to hope*)	savoir (*to know*)
falloir (*to be necessary*)	vouloir (*to wish*)
oser (*to dare*)	

e.g. I hope *to go* there.   J'espère y **aller**.

(*c*) Verbs of *perception* :

entendre (*to hear*)	sentir (*to feel*)
regarder (*to look at*)	voir (*to see*)
sembler (*to seem*)	

e.g. I see him (*coming*).   Je le vois **venir**.

(*d*) Verbs of *thinking, preferring* :

    croire (*to believe*)   aimer mieux (*to prefer*)

    penser (*to think*)   préférer (*to prefer*)

    e.g. I think *I hear* it.   Je crois l'entendre.

(*e*) faire (*to have some action done*), laisser (*to let or allow some action*):

    e.g. I have him brought (lit. " make him come ")

    Je le fais **venir**

    but I make him sing a song.

    Je lui fais **chanter** une chanson.

    (When infinitive has an object.)

Note.—J'envoie **chercher** le médecin.

    I send for the doctor.

2. **By inserting " à " (to) before the infinitive:**

    e.g. I begin *to read*.   Je commence à lire.

Verbs requiring this additional " à " are indicated in vocabularies and dictionaries.

The commonest are :

    aimer à (*to like to*)   inviter à (*to invite to*)

    apprendre à (*to learn to*)   réussir à (*to succeed in*)

    commencer à (*to begin to*)   se décider à (*to decide to*)

    continuer à (*to continue to*)   se mettre à (*to begin to*)

    but " aimer " is often used without " à."

3. **By inserting " de "** (="to " in this case) **before the infinitive:**

    e.g. Je regrette de dire.   I regret to say.

Verbs requiring this additional " de " are indicated in vocabularies and dictionaries.

The commonest are :

    cesser de (*to cease to*)   ordonner* de (*to order to*)

    demander* de (*to ask to*)   oublier de (*to forget to*)

    dire* de (*to tell to*)   permettre* de (*to allow to*)

    empêcher de (*to stop from*)   prier de (*to beg to*)

    essayer de (*to try to*)   regretter de (*to regret to*)

*These verbs require " à " + Person.

    e.g. Je lui dis de partir.   I tell him to go.

4. **By using " pour "** in cases not coming under previous headings:

I sit down *to read*.

Je m'assieds **pour lire**.

NOTES

(*a*) Two verbs are followed by the preposition " **par** " (*by*) + infinitive.

       commencer par (*to begin by*)
       finir par (*to end by*)

  e.g. He finished *by breaking* it. Il finit **par le casser**.

(*b*) " To go or come *and* do something " is translated by a direct infinitive.

  e.g. I go *and* sit down.   Je vais **m'asseoir**.

B. ADJECTIVE + INFINITIVE

Most Adjectives, especially those expressing emotions and those following impersonal " il est," are followed by **de** before an infinitive.

  e.g. Je suis content **de** vous voir.
     I am pleased to see you.
     Il est difficile **de** faire cela.
     It is difficult to do that.

But a few require à :

  e.g. Je suis prêt **à** partir. Il est occupé **à** travailler.
     I am ready to start.   He is busy working.

C. NOUN + INFINITIVE

After a Noun the Infinitive is usually preceded by **de** :

  e.g. L'ordre **de** partir   Je n'ai pas le temps **de** sortir.
     The order to go   I have no time to go out.

But note that expressions with " quelque chose " and " beaucoup " take à :

  e.g. Quelque chose **à** manger. Beaucoup **à** faire.
     Something to eat.   A lot to do.

VOCABULARY

le bijoutier	jeweller	l'approche (f.)	approach
le buisson	bush	la barrière	gate

le chêne	oak	la chasse	hunting, shooting
le coup (de fusil)	shot	la chose	thing
le fusil	gun	la perdrix	partridge
le gibier	game	effrayé	frightened
le lapin	rabbit	enchanté	delighted
le vieillard	old man	épuisé	weary
le temps (de)	time (to)	étonné	astonished
		facile	easy
s'adresser à	to address oneself to	léger	light
		penché	leaning
*apparaître	to appear	prêt	ready
se cacher	to hide		
craquer	to crack	allez-y	go on (go to it!)
s'échapper	to escape		
s'enfoncer	to plunge into	bruyamment	noisily
essayer (de)	to try to	en vain	in vain
fouiller	to search	là-bas	over there
longer	to go along	par terre	to the ground (from standing position)
*permettre (de)	to permit to		
prier (de)	to ask to		
*promettre (de)	to promise to		
ramasser	to pick up	sans doute	doubtless
rebrousser chemin	to retrace one's steps	soudain	suddenly
		tous les deux	both
réussir (à)	to succeed in	à toute vitesse	} at full speed
se sauver	to run away	à toutes jambes	
tirer	to fire	à la hâte	in haste

LA MORT DU CANARD

M. Dubonnet, bijoutier à Paris, habitait le boulevard Saint-
Denis, mais le dimanche il allait souvent à la chasse.

Sa femme n'aimait pas ces excursions ; elle aimait mieux
inviter quelques amies à dîner et à jouer aux cartes chez elle.

Un beau dimanche d'automne son mari se leva de bonne
heure, avec l'intention d'aller à la chasse, et quand il fut prêt
à partir, sa femme lui dit : " Au revoir, mon cher. N'oublie
pas de me rapporter quelque chose, n'est-ce pas ? Je serais

très contente d'avoir un lapin ou une perdrix, par exemple, pour ce soir."

" J'essayerai bien d'en rapporter un," répondit-il, en l'embrassant.

En arrivant à la petite gare de X. il descendit, et s'enfonça bientôt dans les bois, le fusil à la main.

Il se cacha enfin derrière un gros chêne et, couché par terre, il attendit l'arrivée des lapins. Il attendit une heure, deux heures ; enfin un bruit léger annonça l'approche d'un animal. Il entendit craquer les branches.

Tout à coup un lapin se montra à quelques pas de lui. Il tira, mais il le manqua, et la pauvre bête, effrayée, s'échappa à la hâte.

Il attendit encore deux ou trois heures. Ce fut en vain. Les lapins restèrent cachés dans leurs trous. Il se faisait tard ; le soleil commençait à se coucher. M. Dubonnet fouilla les buissons, longea les haies, mais en vain. Aucun animal, aucun oiseau n'en sortit.

Épuisé, le chasseur abandonna la chasse au lapin et se mit à rebrousser chemin.

En passant près d'une ferme, il remarqua un vieillard, penché sur une barrière, qui le regardait venir. C'était sans doute le fermier. Il vit aussi un gros canard dans le champ en face du vieillard. Tout à coup il lui vint une idée. Il se décida à expliquer son affaire au fermier.

" Bonjour, monsieur," dit-il en s'approchant de lui. " Je viens vous demander la permission de tirer sur ce canard. Ma femme m'a prié de rapporter quelque chose pour le dîner ; j'ai promis de le faire, mais je n'ai pas réussi à trouver du gibier. Si vous me donnez la permission, je voudrais bien essayer de le tuer, et je vous le payerai bien."

" Mais tirez donc, mon vieux," répondit le vieillard. " Vous devez emporter du gibier, n'est-ce pas? Allez-y ! Je ne vous empêcherai pas de tirer."

M. Dubonnet, enchanté, leva son fusil et tira tout de suite. A son premier coup le pauvre oiseau roula par terre. Il alla le ramasser.

" Je vous remercie," dit-il, en s'adressant au fermier. " C'est combien, cet oiseau ? "

" Monsieur," expliqua le vieillard, en souriant, " ce champ n'est pas à moi, ni le canard non plus."

" Mon Dieu," s'exclama le bijoutier, étonné.   " Si j'avais su, je n'aurais pas tiré."   Ils se sauvèrent alors tous les deux à toute vitesse.

QUESTIONS

1. Où allait souvent M. Dubonnet le dimanche?
2. Est-ce que sa femme l'accompagnait?
3. Où se cacha-t-il pour attendre les lapins ?
4. Est-ce qu'il réussit à tuer un lapin?
5. Qui rencontra-t-il, penché sur une barrière ?
6. Qu'est-ce que le chasseur vit dans le champ ?
7. Qu'est-ce qu'il demanda au vieillard ?
8. Qu'est-ce que le vieillard répondit ?
9. Pourquoi le vieillard sourit-il ?
10. Que fit enfin M. Dubonnet?

EXERCISES

A. Insert " à " or " de " before the Infinitive in the following :

1. J'apprends — jouer du piano.
2. Il essaie — trouver son livre.
3. Nous l'empêchons — sortir.
4. Ils nous invitent -- dîner.
5. Je réussis — tuer un lapin.
6. Elle oublie — le faire.
7. Nous lui disons — partir
8. Il promit — venir.
9. Je commence — chanter.
10. Nous leur permettons — entrer.

B. Translate :

1. We go and find our friends.
2. He finishes by selling it.
3. Give me something to drink.
4. She sat down to read a book.
5. I hear him singing.
6. They were pleased to see us.
7. We are ready to start.
8. She sends for the doctor.

9. I made him carry the gun.

10. He hasn't the time to write.

C. Translate :

When Mr. Dubonnet was ready to start his wife said to him :
" I should be very glad to have some rabbits, because I have
invited several friends to dine this evening and I want to
give them a good meal."

Her husband promised to bring back one or two, and he
tried all day to kill something, but he did not succeed in finding
anything.

He told his friend Duval, as they were coming back from
their shooting expedition, that his wife would be very angry.

" Why don't you buy a few rabbits at that farm over
there," said Duval.

" That is a good idea," replied Dubonnet. " I should like
to take back something. I am going to knock at the door to
ask the farmer to sell me one (of them*)."

He went and knocked at the door, but nobody answered. He
was wondering whether he should (devrait) knock again when
a ferocious dog appeared and began to bark, so they both
ran away as fast as possible.

When Dubonnet got home at last his wife told him to go
and buy something to eat at the butcher's.

D. Write in French, from memory, an account of " La Mort
du Canard "—or give an account of any other amusing or
interesting hunting or shooting experience.

* Always insert " en " (of it, of them) when numbers and quantities
recur without mention of the noun.

LESSON XXIII

GRAMMAR

A. Compound Tenses

We have already seen that the Present Tense of " avoir "
or " être " added to the Past Participle forms the Perfect
Tense.

> e.g. j'ai donné   I have given
>> (*Motion*) je suis allé   I have gone
>> (*Reflexive*) je me suis levé   I have got up

We must now learn the formation and use of other Compound Tenses :

Tense.	With " avoir "	With " être "	Meaning
1. *Pluperfect*	j'avais donné	j'étais allé	I *had*
(= Imperfect		je m'étais	given, gone,
+ Past Participle)		levé	got up

This tense is used in all cases for English " had " followed
by a Past Participle, *except* when the " had " is preceded by a
conjunction of time—" when " (quand, lorsque), " as soon as "
(dès que, aussitôt que), " hardly " (à peine), " after " (après
que)—and when this action is immediately followed by an
action in the Past Historic. In this case the Past Anterior
must be used for the first action, as in the following examples :

Tense	With " avoir "	With " être "	Meaning
2. *Past Anterior*	j'eus donné	je fus allé	I *had*
(= Past Historic		je me fus	given, gone,
+ Past Participle)		levé	got up

Examples of use of Pluperfect and Past Anterior :

Pluperfect   He had found his friend at the café.
              Il **avait** trouvé son ami au café.

P. Anterior   *When* he had found his friend, they went out.
              Quand il **eut** trouvé son ami, ils sortirent.

        Hardly had he arrived, when his friend entered.
        A peine fut-il arrivé que son ami y entra.

NOTES

(1) Use the Imperfect, not the Pluperfect, in sentences where " for " = " since."

    e.g. He had been in Paris for two years.

        Il était à Paris depuis deux ans.

(2) " Had just " followed by Past Participle is translated by the Imperfect of " venir " + " de " + Infinitive.

    e.g. I had just seen   Je venais de voir

3. *Future Perfect*	With " avoir "	With " être "	Meaning
(= Future +	j'aurai	je serai allé	I *shall*
Past Participle)	donné	je me serai	*have* given,
		levé	gone, got up

4. *Conditional Perfect*			
(= Conditional +	j'aurais	je serais allé	I *should*
Past Participle)	donné	je me serais	*have* given,
		levé	gone, got up

Examples of use of Future Perfect, Conditional Perfect :

Future	He will have seen his friend before Monday.
Perfect	Il aura vu son ami avant lundi.
Conditional	He said he would have seen his friend before
Perfect	Monday.
	Il dit qu'il aurait vu son ami avant lundi.

Note.—Look out for the " hidden " Future Perfect or Conditional Perfect after Conjunctions of time (" when," " as soon as," etc.).

    e.g. I shall go out when he *has* arrived.

        Je sortirai quand il **sera** arrivé.

        He said he would go when his friend *had* arrived.

        Il dit qu'il partirait quand son ami **serait** arrivé.

B. The Passive

The Passive voice of a verb is formed by adding the various tenses of " être " to the past participle.

e.g. je suis aimé (-e)	*I am loved*
j'étais aimé (-e)	*I was loved* (Condition)
je fus blessé (-e)	*I was wounded* (Action)
je serai aimé (-e)	*I shall be loved*
je serais aimé (-e)	*I should be loved*

j'ai été blessé (-e)   *I have been, was wounded*
j'avais été aimé (-e)   *I had been loved*

NOTES

(1) The Past Participle must always agree with the subject (except " été," which is always invariable).

    e.g. Nous sommes trouvés.   We are found.
    but Elle a été trouvée.   She has been found.

(2) French avoids the Passive, when the agent is not specified, by two methods :

(*a*) By using " on " plus active verb.

    e.g. I have been told.   **On** m'a dit (= *One has told me*).
    French is spoken here.   Ici **on** parle français.

(*b*) By using a Reflexive verb.

    e.g. He is called Henry.   Il **s'appelle** Henri.
    Tobacco is sold here.   Le tabac **se vend** ici.

    But where the agent is specified use the Passive, with " by " translated by " par " for actions, and " de " for condition or state.

    e.g. He was attacked by a lion.
    Il fut attaqué **par** un lion.
    He was loved by his friends.
    Il était aimé **de** ses amis.

C. The Verb " Devoir "

" Devoir " (*to owe*) is a most important verb in French, as it also means " to have to, to be obliged to," and the meaning of the following tenses should be learnt by heart.

Present	je dois	*I must, have to*
Future	je devrai	*I shall have to*
Perfect (Conversation or Letter)	j'ai dû	*I have had to* / *I had to, I must have* (An action completed on a definite occasion in the past.)
P. Historic (Narrative)	je dus	
Imperfect	je devais	*I was due to* (not yet completed)
Conditional	je devrais	*I should, ought to*
Fut. Perfect	j'aurai dû	*I shall have had to*
Condit. Perf	j'aurais dû	*I ought to have, should have*

These are all followed by the Infinitive.

e.g. I ought to have gone.

J'aurais dû **aller**.

VOCABULARY

le clair de lune	moonlight	l'Afrique	Africa
le coup d'œil	glance	la caserne	barracks
le coup de pied	kick	la clef	key
le lionceau	lion-cub	la façon	fashion
l'officier	officer	la grâce	grace
le soldat	soldier	l'infanterie	infantry
		la mascotte	mascot
barrer	to bar	la peur	fear
bouger	to move	la vérité	truth
*découvrir	to discover	la vie	life
enfermer	to shut up		
épouser	to marry	blessé	wounded
errer	to wander	empressé	hurried
s'étonner	to be aston-	malin	malicious
	ished	posté	posted
faillir	to fail, nearly	redoutable	redoubtable
	to do some-	sauvage	wild (*not* sav-
	thing		age, which
grandir	to grow big		is "féroce")
guérir	to heal		
*offrir	to offer	ailleurs	elsewhere
*perdre	to lose		
connais-	conscious-	aux alentours	in the neigh-
sance	ness		bourhood
*remettre	to put back	au beau milieu	right in the
sauver	to save		middle
soigner	to take care of	parbleu!	heavens!
se vanter	to boast	sans doute	doubtless

UNE HISTOIRE DE LION

Un lieutenant d'infanterie, dans un régiment posté en Afrique, trouva un jour un lionceau gravement blessé qu'il fit soigner et guérir, et qui prit bientôt l'habitude de le suivre comme un chien.

Au bout de quelques mois ce lionceau avait beaucoup grandi, et l'officier fit construire une cage dans laquelle l'animal se couchait la nuit ; mais pendant la journée il errait partout dans la caserne et aux alentours.

On lui donna le nom de Léo. Il était aimé de tous les soldats, qui lui offraient des morceaux de viande qu'il prenait de la meilleure grâce.

Le colonel du régiment aimait à se vanter de leur mascotte, dont il était très fier.

Cependant, il arriva qu'un soir le colonel, qui était rentré assez tard dans son auto, s'étonna de découvrir le lion couché au beau milieu de l'entrée de la caserne.

Il faisait clair de lune, la bête avait l'air bien redoutable, et le chauffeur du colonel fut saisi de peur. "Parbleu," s'écria l'officier, en souriant, " vous n'avez rien à craindre. Le lieutenant Duclos a sans doute oublié d'enfermer Léo dans sa cage. Je vais descendre lui parler." Et il s'approcha du lion, en lui disant : " Tiens, mon petit Léo, tu dois aller te coucher ailleurs."

Le lion ne voulait pas bouger, et le colonel, un peu vexé, lui donna un petit coup de pied par derrière. L'animal se leva lentement et s'en alla d'une façon peu empressée, en lui jetant un coup d'œil malin.

Quand le colonel fut entré dans la caserne il envoya chercher tout de suite le lieutenant, pour lui raconter ce qui était arrivé.

Celui-ci se présenta en toute hâte devant son chef.

" Vous auriez dû remettre Léo dans sa cage ce soir, lieutenant," dit le colonel. " Je viens de le chasser de la cour, où il barrait la route à mon auto."

" Mais, mon colonel," lui expliqua le lieutenant, " je vous assure que je l'ai enfermé, comme d'habitude, à sept heures."

" Comment s'est-il donc échappé? " demanda le colonel. " Nous devrions aller voir comment la porte s'est ouverte."

Ils s'en allèrent tous les deux examiner la cage. Le lieutenant avait dit la vérité. La porte de la cage était toujours fermée à clef, et Léo dormait profondément dans un coin.

Le pauvre colonel faillit perdre connaissance. Il avait donné un coup de pied à un lion sauvage.

QUESTIONS

1. Qu'est-ce que le lieutenant trouva un jour?
2. Quelle habitude le lionceau prit-il bientôt?
3. Pourquoi l'officier fit-il construire une cage?
4. Où errait le lionceau pendant la journée?
5. Qu'est-ce que les soldats lui offraient?
6. De quoi le colonel aimait-il à se vanter?
7. Qu'est-ce que le chauffeur du colonel rencontra un soir à l'entrée de la caserne?
8. Que fit le colonel quand il fut descendu de l'auto?
9. Qu'est-ce que le colonel dit au lieutenant?
10. Qu'est-ce qu'ils trouvèrent en arrivant à la cage de Léo?

EXERCISES

A. Translate :

he had given, he will have given, he would have given ; they had arrived, they will have arrived, they would have arrived ; she will have gone out, you would have read, I had gone to bed, they will have got up.

B. Translate :

1. He had often come to London, and I had admired him.
2. As soon as the car had stopped, he got out.
3. She had been learning French for two years.
4. When they had arrived he closed the door.
5. They had just gone out when Peter appeared.
6. Hardly had I spoken when Mary entered.
7. We shall soon have forgotten him.
8. He will telephone you when he has finished his work.
9. If I had known, I would have written to you.
10. She said she would come as soon as she had dressed.

C. Translate :

she is loved, he has been seized, I shall be caught, he was killed, we have been told, English is spoken here, tea is sold here, she is called Mary, he was loved by his soldiers, I was attacked by a lion ; we must go, I shall have to go, you should have gone, you should go, he had to run.

D. Translate :

An Englishman, who had unfortunately married a very bad-tempered* wife, bought a farm in Africa.

This farm was very lonely, and there was a great number of lions in that region, so he always carried a gun when he worked in his fields.

One day the farmer had just gone off to the fields when a friend, who had come to find him, was astonished to see an enormous lion enter the farmer's house, the door of which was open.

This friend, noticing the farmer in the distance, followed him immediately and told him what he had seen. " You ought to go back at once," he cried, " if you wish to save your wife." The farmer, however, did not seem to be alarmed. " I shall go back when I have finished my work. It is the lion who is going to lose his life," he replied, smiling. " If he enters the kitchen, where my wife is preparing lunch, she will certainly kill him. The poor animal ought to have chosen another house."

E. Recount in French, from memory, " L'Histoire du Lion " ; or any interesting or amusing story about an animal.

* bad-tempered = maussade.

LESSON XXIV

GRAMMAR

A. Verbs + Preposition + Noun

Some verbs in French take an unexpected preposition before a noun. The prepositions "à," "de," and "en" must be repeated in French before each noun.

Such prepositions are usually indicated in a dictionary, but the following should be noted:

1. Verbs of "taking away" take **à** before the person, where "*from*" is used in English:

acheter à	to buy from
arracher à	to snatch from
emprunter à	to borrow from
ôter à	to lift from
prendre à	to take from
voler à	to steal from

e.g. J'emprunte le livre **à** mon père.
I borrow the book from my father.

2. Verbs of "taking, drinking, reading," etc., take **dans** in French for English "*from, out of.*"

boire dans	to drink out of
lire dans	to read out of
prendre dans	to take out of

e.g. Je bois **dans** une tasse.   I drink out of a cup.

Note.—Je regarde **par** la fenêtre.   I look out of the window.

3. Do not fail to put in the **à** (*to*) (which is omitted in English) with the following verbs, before the indirect object:

apprendre à	to teach *to*	someone
conseiller à	to advise *to*	,,
défendre à	to forbid *to*	,,
demander à	to ask *to*	,,
dire à	to tell *to*	,,

donner à	to give *to*	someone
enseigner à	to teach *to*	,,
montrer à	to show *to*	,,
obéir à	to obey *to*	,,
ordonner à	to order *to*	,,
pardonner à	to pardon *to*	,,
permettre à	to permit *to*	,,
plaire à	to please *to*	,,
raconter à	to tell *to*	,,
répondre à	to answer *to*	,,
ressembler à	to resemble *to*	,,

e.g. I show *my friend* the book, and I give *him* it.
Je montre le livre à mon ami, et je le lui donne.

4. The following verbs require <u>de</u> before a noun or pronoun :

s'approcher de	to approach
se moquer de	to make fun of, laugh *at*
remercier de	to thank for
rire de	to laugh at
se servir de	to use
se souvenir de	to remember

e.g. Je m'approche **de** la maison.   I approach the house.
Je m'**en** approche.   I approach it.

5. The following verbs require <u>no preposition</u> in French:

attendre	to wait-for
chercher	to look-for
demander	to ask-for
écouter	to listen-to
payer	to pay-for
regarder	to look-at

e.g. J'écoute la radio.   I listen *to* the wireless.

VOCABULARY

le bock	small glass of beer	l'épaule	shoulder
		la parole	word (spoken)
le matelot	sailor		
le patron	proprietor	empaillé	stuffed
le perroquet	parrot	étonnant	astonishing

le porte-feuille	note-case	ventriloque	with ventriloquial powers
		au bout de	at the end of
ajouter	to add	regarder	to look closely
articuler	to utter, pronounce	de près	at
		en colère	in anger
rendre	to make	tous les deux	both
sourire	to smile		
		s'ennuyer	to be bored

Note.—Use " rendre " instead of " faire " when an adjective follows the verb " make."

e.g. That makes me sad.

Cela me rend triste.

LE PERROQUET

Un matelot ventriloque, qui portait un perroquet gris sur l'épaule, entra un jour dans un café, s'assit, et appela le garçon.

Quand celui-ci arriva, le matelot lui dit : " Apportez-moi un bock, s'il vous plaît." Au grand étonnement du garçon, le perroquet ajouta tout à coup : " Et moi aussi, j'ai bien soif. Je prends un bock."

Le patron, qui se trouvait tout près, entendit les paroles de l'oiseau et s'approcha de la table où était assis le matelot pour regarder l'oiseau de près.

Le garçon revint avec les deux bocks, et le matelot les but, tous les deux. Le perroquet s'écria en colère : " Que fais-tu, mon vieux. Tu bois mon bock, alors! "

" C'est un perroquet remarquable que vous avez là, mon ami," dit le patron. " Il parle très bien."

" Oui, je suis vraiment fort intelligent," lui répondit l'oiseau.

" C'est étonnant combien de mots il sait articuler," s'exclama le patron. " Je vous le paie vingt-cinq francs, si vous voulez me le vendre, monsieur."

" Je pars demain pour l'Afrique," lui expliqua le matelot. "Si vous voulez l'acheter, le prix en est de cinquante francs."

Le patron, enchanté d'avoir un oiseau si extraordinaire pour amuser ses clients, alla chercher son portefeuille, et donna cinq billets de dix francs au matelot, qui partit en souriant, très content de son affaire.

Son nouveau maître mit le perroquet dans une belle cage à l'entrée du café.

Au bout de trois mois le matelot entra de nouveau dans le café. Le propriétaire le reconnut et vint lui parler.

" Je dois vous dire, monsieur," dit-il au matelot, " que cet oiseau que je vous ai acheté ne parle point depuis votre départ."

" Il s'ennuie évidemment, et il attend mon retour. Je vais lui parler moi-même," dit le matelot pour le rassurer.

" Bonjour, Jacquot. Tu vas bien ? " demanda-t-il à l'oiseau.

" Je m'ennuie ici. Tu as longtemps voyagé," lui répondit le perroquet.

" Vous voyez, donc, qu'il parle toujours, monsieur le patron. C'est sans doute mon absence qu'il trouve insupportable, et qui le rend triste," expliqua son ancien maître.

" C'est tout de même curieux," fit le patron, en riant. " Le pauvre Jacquot est mort depuis deux mois. C'est Jacquot empaillé que vous voyez là dans sa cage! "

QUESTIONS

1. Qu'est-ce que le matelot portait sur l'épaule?
2. Qu'est-ce qu'il commanda à boire?
3. Que dit le perroquet au garçon?
4. Que fit le patron en l'entendant?
5. Combien de francs le matelot demanda-t-il?
6. Pourquoi le patron voulait-il acheter l'oiseau?
7. Où le mit-il après le départ du matelot?
8. Quand est-ce que le matelot revint au café?
9. Qu'est-ce que le propriétaire lui dit alors?
10. Pourquoi le perroquet ne parla-t-il plus?

EXERCISES

A. Insert the correct preposition :
   1. J'achète — l'épicier.
   2. Il s'approcha — château.

3. Ils entrèrent — la salle.
4. Nous obéirons — capitaine.
5. Je me servais — un couteau.
6. Il ressemble — sa mère.
7. Nous répondons — la question.
8. Vous l'arrachez — garçon.
9. Ils montrèrent la rue — l'homme.
10. Je l'ai emprunté — mon ami.
11. Elle me remercia — ma lettre.
12. Nous demandons le prix — marchand.
13. Vous racontez — élèves l'histoire de la ville.
14. Il défendit — l'enfant de le faire.
15. Je conseille — mon ami de partir.

B. Translate :

1. We shall listen to the music.
2. She was looking out of the window.
3. The traveller asked for a ticket.
4. The pupil reads from a book.
5. My uncle has paid for the dinner.
6. You must wait for a bus.
7. My sisters laugh at me.
8. The thief stole it from the merchant.
9. I was drinking out of a cup.
10. The master teaches Marcel English.

C. Translate :

One evening, a few days before Christmas, a traveller entered an inn. Outside, the ground was covered with snow.

The newcomer looked for a place near the fire, but nobody moved to make room for him.*

When the innkeeper asked him what he wanted, the traveller answered him in a loud voice:† " Bring me a bottle of wine, please. And take a dozen oysters to the stable for my horse."

The innkeeper looked at him with astonishment, and hesitated a moment.

" Hurry, he is very hungry, and he is waiting for them," the traveller told him.

* pour lui faire place.   † p. 222 (b).

All the farmers immediately got up and followed the inn-keeper in order to see this remarkable animal.

The stranger then approached the fire and, choosing the best place, sat down in order to warm himself.

After a few minutes everybody came back, and the inn-keeper said : " Sir, your horse does not want to eat the oysters."

" What a pity*," replied the traveller, laughing. " As I have paid for them, I will eat them myself, then."

D. Recount in French any interesting or amusing story con-nected with animals, birds, or insects.

* Quel dommage.

LESSON XXV

GRAMMAR

A. Some Problem Prepositions

About

vers (Time) : vers 9 heures (*about 9 o'clock*)

environ (Numbers) : environ vingt-cinq (*about 25*)

au sujet de (*concerning*) : un livre au sujet des lois (*a book about laws*)

sur le point de (+ *verb*) : sur le point de partir (*about to go*)

Before

avant (Time) : avant 9 heures (*before 9 o'clock*)

devant (Place) : devant la maison (*before the house*)

For (Time)

pendant (Past Time) : Je l'ai cherché pendant deux heures (*I looked for him for two hours*).

Sometimes " for " is omitted :

e.g. J'attendis deux heures (*I waited two hours*).

pour (Pre-arranged) : J'irai pour trois jours (*I shall go for three days*).

depuis (When " for " = " since "—action continuing) : Je suis ici depuis une heure (*I have been here for an hour —and am still here*).

In (Place)

dans (Definite) : dans notre maison (*in our house*)

en (Indefinite) : en ville, en auto, en hâte, en été (*in town, by car, in haste, in summer*)

à in such expressions as :

à la campagne (*in the country*)
à l'ombre   (*in the shade*)
à la main   (*in one's hand*)

In (Time)

en (Duration) : Il le fit en 3 minutes (*He did it in 3 minutes*).

(Seasons, months) : en été, en mai (*in Summer, in May*).

dans (Future) : Je le ferai dans 3 jours (*I shall do it in 3 days' time*).

(Omit with " morning," " evening," etc.)

e.g. in the morning   le matin

On (Time)

à mon retour (*on my return*).

par (with details) : par un beau jour d'été (*on a fine summer's day*).

le jour où . . . (the day on which . . .)

Omit " on " with days.

e.g. on Monday   lundi

   on June 2nd   le deux juin

Over

au-dessus de (Position) : au-dessus de la maison (*over or above the house*).

par-dessus (Motion) : Il regarda par-dessus le mur (*He looked over the wall*).

Towards

vers (Time) : vers 3 heures (*towards 3 o'clock*)

vers (Motion) : il courut vers moi (*he ran towards me*)

envers (Feeling) : ses sentiments envers moi (*his feelings towards me*)

With

avec is the usual word, but note the following :

Description (Permanent) : Un homme à la barbe blanche (*A man with a white beard*).

Description (Temporary) : Le sac sur le dos (*With his sack on his back*).

Omit " with " in such cases.

Also note " couvert **de** " (covered with), saisi **de** (seized with), entouré **de** (surrounded by).

e.g. couvert de neige   covered with snow

B. Miscellaneous Pronouns and Adjectives

Do not confuse the following :

1. *Each*

    chaque (*Adjective*)

      e.g. each man   chaque homme

    chacun (**-e**) (*Pronoun*)

      e.g. Each (one) carried a gun.

          Chacun portait un fusil.

2. *Some, a few ; someone, some*

    quelque (*Adjective*)

      e.g. some flowers   quelques fleurs

    quelqu'un (**-e**) (*Pronoun*) = someone

    (Pl. **quelques-un(e)s**)

      e.g. Some were roses.

          Quelques-unes étaient des roses.

C. Miscellaneous Adjectives and Adverbs

Do not confuse the following :

1. **même** (*Adjective*) = same (before Noun), even, very (after Noun).

      e.g. the *same* thing   la même chose

          the *very* dogs   les chiens mêmes

    même (*Adverb*) = even

      e.g. He even ran.   Il courut même.

    (*Note.*—moi-même, etc. = myself.)

    de même (*Adverb*) = similarly

      e.g. He did the same.   Il fit **de même.**

2. **tel** (*Adjective*) = such a

    (Fem. **telle**)

      e.g. such a dog   un **tel** chien

    si (*Adverb*) = such a, so

      e.g. such a big dog   un **si** gros chien

    (*Note.*—Use " tel " when alone, but " si " when there is another adjective.)

3. **tout(e)** (*Adjective*) = all

      e.g. *all* the family   **toute** la famille

tout (*Adverb*) = completely, very

      e.g. They were completely exhausted.

      Ils étaient **tout** épuisés.

(*Note.*—" tout," though an adverb, agrees with *feminine* nouns, except before a vowel or mute " h.")

      e.g. Elle était tout*e* fatiguée ⎫
      Elle était tout épuisée ⎬ She was very tired.

VOCABULARY

le bateau de pêche	fishing boat	l'auberge	inn
		la cachette	hiding-place
le chef	chief	la ceinture	belt, waist
le cimetière	cemetery	la corde	rope
le contreban- dier	smuggler	la côte	coast
		la dalle	stone slab
le fantôme	ghost	l'église (f.)	church
le maire	mayor	l'époque	period, time
le pistolet	pistol	la falaise	cliff
le port	port, harbour	la forme	figure, shape
le regard	look	la lune	moon
le sapin	fir	la soutane	cassock
le tombeau	tomb	la voix	voice
le vent	wind		
		bas	low
attirer	to attract	guetté	watched
*braire	to bray	lourd	heavy
chuchoter	to whisper	voilé (de)	veiled (by)
éclairer	to illuminate		
*fuir	to flee	à dix mètres	ten yards away
gravir	to climb (hill, etc.)	à gauche	to the left
		au moins	at least
grimper (dans)	to climb (tree, etc.)	déjà	already
		diable!	heavens!
		du côté de	in the direction of

*paraître	to appear	quant à	as for
pleurer	to weep	soit .. ou	either ... or
*rejoindre	to join	sous peu	shortly, soon
*se servir (de)	to use	tout droit	straight on
tousser	to cough	bouleversé	overcome,
veiller	to keep watch		upset

Le Cimetière Hanté

Une nuit d'hiver, en l'an 1810, sous le règne de Napoleon Ier, le maire du village de Fleury, petit port non loin de Boulogne, se dirigeait vers l'auberge pour boire un verre de vin avec ses amis.

En route il passa près de l'église du village, qui se trouvait au sommet des falaises, et il s'assit un moment sur le mur bas du cimetière pour se reposer un peu.

La lune, voilée de nuages, se montrait de temps en temps et éclairait les tombeaux.

En jetant par hasard un regard par-dessus le mur, du côté des tombeaux, il vit, à son grand étonnement, une forme noire sortir d'un des tombeaux, suivie, sous peu, d'autres formes mystérieuses, toutes vêtues de longues soutanes.

Chaque fantôme portait une boîte sur le dos. Chacune de ces boîtes avait trois pieds environ de long sur deux pieds de large, et paraissait bien lourde.

Il y avait au moins une douzaine de ces fantômes, qui disparurent par un sentier qui conduisait aux rochers au pied de la falaise.

A quelques centaines de mètres de la côte un bateau de pêche semblait attendre quelqu'un ; il pouvait distinguer ses voiles blanches au clair de la lune.

Le maire, saisi de peur, descendit vite au village, où il alla chercher tout de suite le gendarme.

Il lui raconta ce qu'il avait vu, et ils remontèrent tous les deux le chemin de l'église.

Les habitants du village avaient déjà parlé au gendarme des voix qu'ils avaient entendues la nuit au cimetière, mais celui-ci croyait que c'était soit le vent de la mer qui pleurait dans les branches des arbres, ou le bruit des vagues qui venaient se briser sur la plage.

Arrivés au sommet, ils grimpèrent dans un sapin qui se trouvait près du plus grand des tombeaux, et attendirent.

Ils veillaient depuis une demi-heure quand la dalle du tombeau se leva doucement, et un homme, vêtu de la tête aux pieds d'une longue robe blanche, en sortit. Il siffla deux fois ; c'était sans doute un signal.

Quatre autres hommes le rejoignirent, portant chacun un gros sac, et ils marchèrent tout droit vers le sapin où se cachaient les deux villageois.

" Ce sont des contrebandiers," chuchota le gendarme. Au même instant le maire toussa violemment. Un tel bruit ne pouvait manquer d'attirer leur attention. Le chef de la bande leva les yeux vers leur cachette et s'écria : " Diable! Nous sommes guettés."

A ces paroles ses compagnons laissèrent tomber leurs sacs, et s'approchèrent de l'arbre.

Leur chef tira un pistolet de sa ceinture ; il était sur le point de tirer quand le gendarme cria : " Ne tirez pas. Je me rends."

" Descendez donc," ordonna le chef. Ils le firent sans perdre de temps.

Les contrebandiers les saisirent. Le chef prit une corde dans son sac, et s'adressa d'abord au gendarme. " Nous allons vous attacher à cet arbre," dit-il. " Quant à vous, monsieur le maire, vous allez porter mon sac. Pour ce soir vous serez contrebandier." Tout bouleversé, le sac sur le dos, le maire les suivit.

QUESTIONS

1. A quelle époque eut lieu cette aventure?
2. Où se trouvait l'église du village?
3. Qu'est-ce que la lune éclairait?
4. Comment les fantômes étaient-ils vêtus?
5. Qu'est-ce qu'ils portaient?
6. Qu'est-ce qui semblait les attendre?
7. Que fit alors le maire?
8. Où se cachèrent le maire et le gendarme?
9. Pourquoi les contrebandiers les découvrirent-ils?
10. Qui dut porter le sac du chef?

EXERCISES

A. Translate :

about 32, about 9 o'clock, before the castle, before midnight, by car, in his car, in the country, in an hour's time, with blue eyes, above the wall, with his hands in his pockets, I shall go for 3 days, I have been here for 3 days, he waited for an hour, we made it in an hour, on Monday, on a fine day, in April, in summer, in the evening.

B. Translate :

the same house, they even shouted, he did the same, all the men, she is quite pale, a few pens, some (f.) are here, each chair, each one (f.), such an animal, such a large animal, both, someone, at the same time, three times.

C. Translate :

in 1815, in the reign of Louis XVI, a bottle of wine, covered with smoke, a dozen men, some kilometres away, he climbs up a tree, straight on, from head to foot, from time to time.

D. Translate :

A few years ago Mr. Dubois and his family spent their summer * holidays at Fleury, a little port near Boulogne.

One evening Peter and his sister decided to go for a walk as far as the village church, which was at the top of the cliffs.

When they arrived there, they sat down to rest on the wall of the cemetery. It was then nearly ten o'clock, and it was getting dark. †

" I hope we shall not see any ghosts," said Mary. At that same moment they heard a noise among the bushes behind the tombs.

" There is certainly something or somebody over there," said Peter, picking up a stone. He threw it with all his might ‡ towards the bushes, and a grey shape came out of them.

Mary became quite pale, and they both stood motionless.

* d'été.   † il se faisait nuit.   ‡ de toutes ses forces.

At each step the ghost was approaching them. " I am afraid.   Let us run," cried Mary.

Suddenly the moon showed itself between the clouds, lighting up the ghost, which began to bray.   It was only a donkey.

E. Recount in French, from memory, the story " Le Cimetière Hanté," or any other story of ghosts, or smuggling, or unexpected adventure.

REVISION

(Lessons XXI–XXV)

A. (a) *Conditional :* I should sell, he would see, they would come, we should be, she would have, they would go, you would be able, I should make, it would be necessary, they would run.

(b) *Pluperfect, Past Anterior, Future Perfect, Conditional Perfect :* I had seen, we had come, they had sat down, when he had written, as soon as we had arrived, when she had got up, hardly had I spoken, we shall have finished, he will have gone out, they will have gone to bed, he would have finished, I would have remained, they would have hidden themselves.

(c) *" Devoir ":* he must go, I was due to go, they had to go, I ought to have gone, she will have to go.

B. (a) *Prepositions before Infinitives ; Direct Infinitive*

1. I told him to go.
2. We invited them to come.
3. She hopes to bathe.
4. They try to run.
5. You promised to sing.
6. She will begin to cry.
7. They forgot to write.
8. We shall go and sit down.
9. I am pleased to see you.
10. He wanted something to eat.

(b) *Prepositions before Nouns*

1. I buy eggs from a farmer.
2. He was drinking out of a glass.
3. They showed the traveller the way.
4. She thanks you for your letter.
5. We shall pay for the dinner.
6. I used to borrow books from my friends.
7. He looks out of the window.
8. She resembled her mother.
9. We use a knife.
10. They will listen to the song.

C. *Miscellaneous Prepositions, Pronouns, Adjectives and Adverbs*

 1. Have you a book about dogs?
 2. We shall go there for three days.
 3. He jumped over the wall.
 4. Here is an old lady with white hair.
 5. Each house has a garden ; each one has a garage.
 6. Here are a few apples : some are bad.
 7. They had the same dresses.
 8. Even if he comes.
 9. He has such a large house.
 10. I have never seen such a tree.

D. Translate :

One day three men entered the restaurant on the platform of a station, sat down and ordered [1] a bottle of wine. One (*L'*un) of them went out to find a porter and asked him to call them when their train arrived. [2]

They were evidently very gay, for when they had finished the first bottle they ordered another.

After half an hour the porter opened the door and told them the train had arrived.

They were now laughing heartily, [3] and in spite of the porter's warning (l'avis, m.) they did not disturb themselves. [4]

Suddenly they heard a whistle [5] ; the train was starting. The three friends ran out of the restaurant.

Two of them succeeded in opening the door of a compartment, but the third was going to follow them when he slipped and fell flat [6] on the platform.

The train disappeared, and the porter hurried to help the poor passenger.

" Have you hurt yourself? " [7] he asked him. To his astonishment the gentleman burst out laughing. [8]

" Why are you laughing then, sir ? " the porter asked.

" It's because the two gentlemen who have gone off in the train came only to see me off," [9] he replied, still laughing.

[1] Use "commander."
[2] Conditional here.
[3] "de bon cœur."
[4] Use "se déranger."
[5] Say "un coup de sifflet."
[6] "à plat."
[7] Use "se faire mal."
[8] Use "éclater de rire."
[9] "Pour me souhaiter bon voyage."

E. Composition

Recount the following story, using the Past Historic as narrative tense :

Un perroquet s'échappe de sa cage—se réfugie dans un bois—un paysan le voit—lève scn fusil—l'oiseau parle—le paysan se sauve.

THE SUBJUNCTIVE

A. Purpose of the Subjunctive in French

All the tenses we have previously learnt belong to the Indicative Mood, i.e. they denote some positive and certain action (e.g. he lives).

The Subjunctive Mood denotes doubt and uncertainty in connection with an action (e.g. Long may he live!).

In English the Subjunctive is little used, but indicates a supposition or concession. It occurs chiefly after " if " in conditional clauses such as " If I were . . .," and is also indicated by " may," " might," " would," " should."

In French the Subjunctive is still fairly common, and there are special rules for its use, which do not correspond at all to the English rules for employing the Subjunctive. For example, "if" does not require the Subjunctive in French ; "may" is translated in main clauses by the Future of " pouvoir " (e.g. he may possibly come—il pourra venir) and " might " by the conditional of " pouvoir " (e.g. he might come—il pourrait venir).

B. Formation of the Subjunctive

1. *The Present Subjunctive*

Endings for all verbs, except " avoir " and " être," are :
-e, -es, -e, -ions, -iez, -ent

Stems for most verbs are obtained by dropping the **-ent** of the 3rd person plural of the Present Indicative.

e.g. donner (*to give*) finir (*to finish*) vendre (*to sell*)

Pres. Ind.	ils donn-ent	ils finiss-ent	ils vend-ent
Pres. Subj.	je donn-e	finiss-e	vend-e
	tu donn-es	finiss-es	vend-es
	il donn-e	finiss-e	vend-e
	nous donn-ions	finiss-ions	vend-ions
	vous donn-iez	finiss-iez	vend-iez
	ils donn-ent	finiss-ent	vend-ent

Where the stem of the Imperfect Indicative differs from the stem obtained from the 3rd plural Present Indicative, the stem of the Imperfect is used for the 1st and 2nd plural of the Present Subjunctive.

e.g. boire (*to drink*)   Stem : " boiv- "

je boive
tu boives
il boive
nous **buv**ions ⎫ Stem of Imperfect :
vous **buv**iez ⎰ " buv- "
ils boivent

Similarly: je doive—nous **dev**ions; je prenne—nous **pren**ions; je reçoive—nous **recev**ions; je tienne —nous **ten**ions; je vienne—nous **ven**ions.

Exceptions. The following must be learnt by heart :

avoir	*être*	*aller*	*faire*
aie	sois	aille	fasse
aies	sois	ailles	fasses
ait	soit	aille	fasse
ayons	soyons	allions	fassions
ayez	soyez	alliez	fassiez
aient	soient	aillent	fassent

pouvoir	*savoir*	*vouloir*
puisse	sache	veuille
puisses	saches	veuilles
puisse	sache	veuille
puissions	sachions	voulions
puissiez	sachiez	vouliez
puissent	sachent	veuillent

2. *The Perfect Subjunctive* is formed by adding the Past Participle to the Present Subjunctive of " avoir " (or of " être " for Verbs of Motion, and Reflexive Verbs) —and is used, where necessary, in conversation, or in a letter.

e.g. j'aie donné
je sois allé (Motion)
je me sois levé (Reflexive)

3. *The Imperfect Subjunctive*

To form the Imperfect Subjunctive, drop the last letter of the 1st person singular of the Past Historic, and add the endings :

> -sse, -sses, -̂t, -ssions, -ssiez, -ssent

    e.g. *Past Historic :* je donnai je finis je fus

Stem :	donna-	fini-	fu-
je	donnasse	finisse	fusse
tu	donnasses	finisses	fusses
il	donnât	finît	fût
n.	donnassions	finissions	fussions
v.	donnassiez	finissiez	fussiez
ils	donnassent	finissent	fussent

There are no exceptions to this rule.

4. *The Pluperfect Subjunctive* is formed by adding the Past Participle to the Imperfect Subjunctive of " avoir " (or of " être " for Verbs of Motion, and Reflexive Verbs).

    e.g. j'eusse donné
        je fusse allé (Motion)
        je me fusse levé (Reflexive)

    Note.—Although " may " and " might " do not always indicate the Subjunctive in French, it is usual to employ these words to give an approximate idea of the English meaning of the French Subjunctive Tenses.

e.g. *Pres. Subj.*	je donne	I may give
Perf. Subj.	j'aie donné	I may have given
Imperf. Subj.	je donnasse	I might give
Pluperf. Subj.	j'eusse donné	I might have given

C. Sequence of Tenses

After { Present Ind. / Future Ind. / Perfect Ind. } Use *Present* Subjunctive (or Perfect Subjunctive where there is verb + past participle).

$$After \begin{cases} \text{Imperfect Ind.} \\ \text{Past Historic Ind.} \\ \text{Conditional Ind.} \\ \text{Pluperfect Ind.} \end{cases} \begin{array}{l} \text{Use } \textit{Imperfect} \text{ Subjunctive} \\ \text{(or Pluperfect Subjunctive} \\ \text{where there is verb + past} \\ \text{participle).} \end{array}$$

Although the Subjunctive in French does not really correspond to our " may " and " might," an easy way of deciding which Subjunctive tense to use is to employ the *Present* Subjunctive in French where substituting " *may* " would be a correct sequence in English, and to use the *Imperfect* Subjunctive in French where substituting " *might* " would be a correct sequence in English.

> e.g. I wish that he *may* go.   (Pres. Subj.)
> I wished that he *might* go. (Imp. Subj.)

However, the Imperfect Subjunctive is so ugly, except in the *3rd person singular*, that there is a marked tendency in modern colloquial French to use the Present (or Perfect) Subjunctive for all other persons (viz. 1st, 2nd sing. ; 1st, 2nd and 3rd plur.) even when the Imperfect Subjunctive is the correct sequence.   This is not so, however, in literary French.

> e.g. He wished him to go.
> Il voulait qu'il partît (Imp. Subj.).
> *but* He wished us to go.
> Il voulait que nous partions (Pres. Subj.).
> (*Not* " partissions.")

D. Rules for Use of Subjunctive

The Subjunctive is used in French :

1. *In Main Clauses*

> *To express a Wish or Command*

>> e.g. *Wish*

>>> Vive la France!   Long live France!

>> *Command*

>>> Qu'il vienne!   Let him come!
>>> Qu'ils viennent!   Let them come!

> *Note.*—" Que " + Pres. Subj. is thus used to give indirect orders in the 3rd Sing. and 3rd Plur.

2. *In Subordinate Clauses*

    (*a*) *After Verbs expressing Wish or Order*

        e.g. Je veux qu'il le **fasse**.   I wish him to do it.
             Je voulais qu'il le **fît**.   I wanted him to do it.

    (*b*) *After Verbs of " saying " and " thinking " used negatively or interrogatively and after " douter "*

      e.g. Je ne crois pas que cela **soit** vrai.
           I do not think that is true.
           Croyez-vous qu'il **soit** arrivé ?
           Do you think that he has come ?

    but Je crois qu'il est ici.
           I think he is here.
           (No Subjunctive.)

    (*c*) *After Impersonal Verbs* (unless they express certainty or probability)

           e.g. **Il faut** que j'**écrive**.
              It is necessary that I should write.
           Il est possible qu'il **arrive**.
              It is possible that he may arrive.

     Similarly : il vaut mieux que (it is better that) ;
il se peut que (it can be that) ; il est bon que (it is
good that) ; c'est dommage que (it is a pity that) ;
il semble que (it seems that), etc.

      but Il est **certain, probable** qu'il arrivera.
           It is certain, probable, he will arrive.
           (No Subjunctive required.)

    (*d*) *After Verbs expressing Emotion* (i.e. joy, regret, doubt, fear, surprise)

           e.g. Elle est **enchantée** que je **puisse** venir.
              She is delighted that I can come.
           Je suis **fâché** qu'il ne **puisse** venir.
           I am sorry that he cannot come.
           Je **doute** que cela **soit** vrai.
           I doubt if that is true.
           Il craignait qu'il n'**arrivât** pas.
           He feared he would not arrive.
           Je suis **étonné** qu'il l'**ait** fait.
           I am astonished that he has done **it**.

but " espérer " (*to hope*) does not take the Subjunctive
unless negative or interrogative.

    e.g. J'espère qu'il **viendra**.
       I hope that he will come.

(e) *In Adjectival Clauses*

    i. *After a Superlative*
      and le premier (*the first*)
          le dernier (*the last*)
          le seul (*the only*)

      e.g. C'est la plus belle dame que je **connaisse**.
        She is the most beautiful woman that I know.

    ii. *After a Negative Statement*
    e.g. Il n'y a pas d'homme qui **soit** plus honnête.
       There is not a man who is more honest.

    iii. *In a " Qui " Clause denoting Purpose*
      e.g. Je cherche un homme qui **puisse** l'expliquer.
        I am looking for a man who can explain it.

(f) *After the following Conjunctions*

    Time
      avant que = before
      jusqu'à ce que = until

    Concession
      bien que ⎱ although
      quoique ⎰

    Condition
      à moins que . . . ne = unless
      pourvu que   = provided **that**
      sans que   = without

    Purpose or Reason
      afin que ⎱ in order that
      pour que ⎰
      de peur que . . . ne ⎱ lest
      de crainte que . . . ne ⎰

Note.—To wait until = attendre que + Subjunctive. " Not
. . . until " does not require Subjunctive.

    e.g. Nous ne partirons que lorsque (i.e. only when) nous
      l'aurons reçu.

There are a few other less common conjunctions requiring the subjunctive, and a complete list can be found in a detailed grammar.

> e.g. **Avant qu'il finît** . . .
> Before he finished . . .
> **Quoiqu'elle soit fatiguée** . . .
> Although she is tired . . .
> **Afin qu'il réussît** . . .
> So that he might succeed . . .
> **A moins qu'ils ne le sachent** . . .
> Unless they know it . . .

The above are the main uses of the Subjunctive, all involving some idea of *doubt* (emotions and superlatives are " doubtful "!).

There are other uses, such as after " however," " whoever," and " whatever," but these can be studied in a complete grammar.

E. Methods of Avoiding the Subjunctive

The Subjunctive can be avoided :

1. By using " avant de," " afin de," " sans " + Infinitive instead of " avant que," " afin que," " sans que "— *if* the subject of main and subordinate clause is the same.

> e.g. Before *he* went out *he* shut the door.
> Avant de sortir, il ferma la porte.

2. By using the verb " devoir " instead of the impersonal verb " falloir."

> e.g. It is necessary that he should wait.
> Il doit attendre.

VOCABULARY

le bal	dance, ball	l'avare (f.)	miser
le carré	square, piece of material	la comédie	comedy
		la liste	list
le coton	cotton	la machine à	sewing
le drame	drama	coudre	machine

le spectacle	play, show	la pièce	play
		la soie	silk
craindre	to fear	la télévision	television
raccommoder	to mend		
		afin de	in order to
regretter	to regret		
se tromper	to be wrong, to be mistaken	avant que	before
		bien que quoique	} although
libre	free	pourvu que	provided that
sérieux	serious	puisque	since
		quel dommage que	what a pity that
ce n'est pas la peine	it isn't worth while		
on joue	they are doing (a play)		

CONVERSATION

Scène : Le salon des Dubois à huit heures du soir.

M. DUBOIS : Pierre, j'ai une bonne nouvelle pour toi. Ton oncle Robert t'invite à l'accompagner demain au théâtre.

PIERRE : Est-ce que tu me permets d'accepter, maman?

MME DUBOIS : Pourvu que tu finisses tes devoirs avant que tu partes, tu peux y aller. Et comme ce sera demain jeudi, tu auras le temps de les faire, puisque tu seras libre l'après-midi, n'est-ce pas?

PIERRE : Merci, maman. Papa, veux-tu que je téléphone à l'oncle Robert pour le lui dire?

M. DUBOIS : Ce n'est pas la peine de téléphoner. Je le verrai demain au bureau.

PIERRE (à sa sœur) : Quel dommage que tu ne puisses venir avec nous, Marie.

MARIE : Il faut absolument que je raccommode ma robe du soir, tu sais, si je veux aller au bal, samedi prochain. Quelle pièce l'oncle Robert a-t-il choisie?

PIERRE : Je ne sais pas, moi. Crois-tu que ce soit une comédie? J'espère bien, car je n'aime pas les pièces sérieuses. Je crains que mon cher oncle ne choisisse un drame.

M. Dubois : Si je ne me trompe pas, ton oncle ira à l'Odéon,
où on joue toujours des pièces gaies. Passe-moi le journal,
Pierre. Je vais chercher la liste des spectacles. Oui,
c'est ça. On joue " Les Duval à Paris," de Lamont. Il
paraît que c'est très drôle.

Mme Dubois : Mais oui. Je l'ai déjà vue, cette pièce, avec ta
tante Louise. C'est la comédie la plus amusante que j'aie
vue cette année. Tu as de la chance, Pierre.

M. Dubois : Bien que j'aime le théâtre, j'aime encore mieux
le cinéma. Si nous y allions demain, ma chère?

Mme Dubois : Je veux bien, chéri. Marie, tu pourras raccommoder ta robe ce soir, afin de pouvoir nous accompagner, n'est-ce pas?

Marie : Oui, maman. J'essayerai de le faire, mais je doute
que je puisse l'achever. Tu pourras peut-être me prêter
ta machine à coudre, n'est-ce pas ? Il me faut aussi
du coton, et un carré de soie.

QUESTIONS

1. Qui a invité Pierre à l'accompagner au théâtre?
2. Qu'est-ce qu'il lui fallait faire avant de sortir?
3. Pourquoi Marie ne pouvait-elle pas l'accompagner?
4. Pourquoi voulait-elle raccommoder sa robe du soir?
5. Pourquoi M. Dubois voulait-il voir le journal?
6. Lequel préférez-vous, le théâtre ou le cinéma?
7. Est-ce que vous préférez les comédies ou les drames?
8. Combien de fois par mois allez-vous au cinéma?
9. Est-ce que vous écoutez souvent la radio?
10. Avez-vous un appareil de télévision?

EXERCISES

A. (1) Give the 1st Person Singular and 1st Person Plural of
the Present Subjunctive of : aller, avoir, boire, dire,
écrire, faire, finir, lire, mettre, prendre, pouvoir,
savoir, venir, voir, vouloir.

(2) Give the 3rd Person Singular of the Imperfect Subjunctive of : aller, s'asseoir, avoir, boire, écrire,

être, faire, lire, mettre, prendre, pouvoir, savoir, venir, voir, vouloir.

B. Give briefly the reason for the use of the Subjunctive in each of the following :
1. C'est le meilleur livre que je connaisse.
2. Il faut que nous partions demain.
3. Qu'ils viennent tout de suite!
4. Elle voulait qu'il lui écrivît.
5. Quoiqu'il soit intelligent, il n'a pas réussi.
6. Je ne crois pas qu'ils soient arrivés.
7. Il regrette qu'elle l'ait perdu.
8. Nous partirons avant qu'il arrive.
9. Je cherche une rue qui conduise au marché.
10. On lui donna de l'argent afin qu'il pût l'acheter.

C. Put the following Infinitives into the correct tense of the Subjunctive :
1. Bien qu'il (être) fatigué, il sortira.
2. Il vaut mieux que nous (écrire) demain.
3. Je suis enchanté que vous (avoir) réussi.
4. Ils craignaient qu'il n' (arriver) à temps.
5. Elle partit sans qu'il la (voir).
6. Je doute qu'ils (venir) ce soir.
7. C'est le seul homme que nous (avoir) vu.
8. Nous désirons que vous le (faire) maintenant.
9. Ils le saisirent avant qu'il (pouvoir) s'échapper.
10. Croyez-vous qu'il y (aller) aujourd'hui?

D. Translate :
1. I am pleased that they can come.
2. They accompanied him in order that he should find the house.
3. We want you to write to us often.
4. I shall wait until the rain stops.
5. Although I have little time, I will do it.
6. This is the finest picture that I have bought.
7. We don't think he will be able to come.
8. It seems that he is very ill.
9. He escaped without being seen.
10. Before you go away, give me your address.

E. Translate :

A week before Christmas Peter's uncle invited him to go to the theatre with him, and he told him to bring his friend Charles with him.

The next morning Peter went to see Charles, before setting off for school.

" Good morning, Peter," said Charles. " I am astonished you have arrived so early."

" Well, I have some good news," explained Peter. " My uncle wants you to come with us this evening to the theatre."

" I shan't be able to come this time," replied Charles. " My exam. takes place next week, and father says it is necessary that I should work every evening until it is finished."

" I am sorry you can't accompany us," said Peter. " They are doing (playing) ' L'Avare,' and it is the best play I have read. Do you think you can finish your work before 7.30 ? "

" No, I regret that will be impossible," explained Charles. " Unless I work hard I shan't succeed, so you must go without me. Thank him very much, please. I am sure he will understand."

F. Write in French an imaginary conversation among members of a family about the theatre or cinema.

COMMERCIAL AND PERSONAL CORRESPONDENCE

Commercial and Official : *Openings*

Dear Sir,	Monsieur,
Dear Sirs,	Messieurs,
Madam,	Madame,

Write " Monsieur le Directeur, Monsieur le Secrétaire " in the address at the head of the letter.

Endings

These vary considerably in French, but the following can be learnt by heart :

Yours faithfully, truly
{
Agréez, monsieur, l'expression de mes salutations empressées.
Recevez, monsieur, l'assurance de mes sentiments distingués.
Veuillez agréer, monsieur, mes sincères salutations.
}

Envelope (*Address*)

Write " Monsieur," etc., in *full*.

Give the name of the county (le département) in brackets after the town.

> e.g. Dieppe (Seine-Inférieure).

For Paris give number of postal district (l'arrondissement).

> e.g. Paris (X^e).

Abbreviations

Company	Cie
c/o	chez
doz.	dz
Local	E.V. (En Ville)
Number	No (numéro)
Personal	Personnelle
Please forward	{ Faire suivre, S.V.P. (S'il vous plaît) Prière de faire suivre

Printed Paper Rate   Imprimés
Urgent   Urgente

Note.—The French write the numbers 1, 7, 9 as follows :

1 7 9

Personal Correspondence : *Openings*

Avoid " Mon cher Monsieur Duval," " Mon cher Georges," except when writing to close friends, and write simply " Cher Monsieur Duval," " Cher Georges."

Endings

Yours sincerely
> Bien sincèrement à vous,
> Cordialement à vous,
> Salutations amicales,
> Recevez l'assurance de mes meilleures amitiés, meilleurs sentiments,

USEFUL PHRASES

In reply to yours of May 3rd,	En réponse à votre lettre du 3 mai,
Awaiting your letter Awaiting your reply	En attendant le plaisir de vous lire, Dans l'attente de vous lire,
We have received your letter of April 6th.	Nous avons l'honneur de vous accuser réception de votre lettre du 6 avril.
	Nous sommes en possession de votre lettre . . .
We beg to inform you . . .	Nous avons l'honneur (le plaisir) de vous informer . . .
Awaiting your orders, instructions,	En attendant vos ordres,
Please find enclosed...	Vous voudriez bien trouver ci-inclus...Vous trouverez ci-inclus.
Attached herewith we send you . . .	Ci-joint nous vous Sous ce pli transmettons . . .
Be good enough to send, to forward . . .	Veuillez envoyer (expédier) . . .
	Nous vous serons bien obligés de nous expédier . . .
	Nous vous prions de vouloir bien nous envoyer . . .

VOCABULARY

l'article (m.)	article	la facture	bill, account
le catalogue	catalogue	la marchan-	goods, merchan-
le chèque	cheque	dise	dise
le colis	parcel	la saison	season
l'échantillon (m.)	sample	la quinzaine	fortnight
le prix	price	ci-inclus	} enclosed
le règlement	settlement	ci-joint	
le tarif	price-list	clair	light
		foncé	dark, deep
expédier	to forward	moyen	medium
faire savoir	to inform		
régler	to settle, pay	contenant	} { enclosing
transmettre	to forward	renfermant	} { containing
tenir à savoir	to be anxious to know	le plus tôt possible	as soon as possible
veuillez (Imperative of "vouloir")	be good enough to . . .	par retour du cour- rier	} by return of post

au pair	{ on mutual terms / in mutual exchange

NOTES

(1) The French often call a week " huit jours " and a fort-night " quinze jours, une quinzaine," as they include the day they are counting to as well as the day they are counting from.

(2) " Clair, moyen, foncé " when added to an adjective of colour remain invariable, as does the colour, and do not agree with their noun.

e.g. des draps bleu foncé
Some dark blue clothes

EXERCISES

Translate:

A.

le 20 janvier, 1950.

Messieurs Laval et Cie,
    Paris.

Messieurs,

Je vous remercie de votre lettre du 15 janvier, renfermant votre catalogue et vos nouveaux échantillons.

Je vous serais bien obligé de m'expédier les articles suivants:

        Nº 12: Robe bleu clair: fr. 30
        Costume gris foncé: fr. 25

Vous trouverez ci-inclus un chèque sur Londres de 55 francs pour règlement de votre facture du 30 décembre.

Recevez, messieurs, l'assurance de mes sentiments distingués.

        (Madame) J. Smith.

B.

Londres.

le 1er juillet.

Monsieur le Directeur,
    Hôtel Splendide,
        Chose-sur-Mer.

Monsieur,

Je désire passer une quinzaine à Chose-sur-Mer au mois d'août.

Un de mes amis m'a donné l'adresse de votre hôtel, qu'il m'a recommandé, et je tiens à savoir vos prix inclusifs.

Veuillez me faire savoir le plus tôt possible si vous aurez une chambre à un lit vacante à partir du 8 août.

Agréez, monsieur, mes salutations empressées.

        (Monsieur) H. Jones.

C.

Kingston,

le 15 mars.

Chère Madame,

Mon amie Mrs. Mary Brown, qui se rappelle à votre bon souvenir, m'a donné votre adresse, et je vous écris pour vous demander si vous connaissez une famille à Paris qui serait désireuse de trouver une place au pair pendant les vacances d'été pour leur fils.

Mon fils Robert, qui a 17 ans, a envie de faire visite à Paris pour se perfectionner dans la langue, et nous serions très contents de recevoir un jeune Français du même age.

Ses vacances commenceront le 1er août, et il rentrera au lycée le 15 septembre.

En attendant le plaisir de vous lire, recevez, chère Madame, l'assurance de mes meilleures amitiés.

(Madame) M. Black.

D.   Rouen,

7th May, 1951.

Magasin Duval,

    Paris.

Dear Sirs,

We thank you for your letter of the 30th April, enclosing your price list. We have also received by the same post a parcel of samples of goods for the new season.

We should be glad if you would forward us the following:

        No. 16: 10 @ 25 francs.

Please find enclosed our cheque for 250 francs.

Yours faithfully,

Lebrun et Cie.

E.   Kingston,

1st June, 1951.

The Manager,

    Hôtel Splendide,

        Chose-sur-Mer.

Dear Sir,

My wife and I hope to spend a week at Chose-sur-Mer in July.

A friend of ours has recommended your hotel to us, and I should be glad to know your terms.

Please let me know by return of post, if possible, if you will have a double room vacant from July 1st.

Yours faithfully,

A. Smith.

Tense endings common to all Verbs :

Future	Imperfect and Conditional
-ai	-ais
-as	-ais
-a	-ait
-ons	-ions
-ez	-iez
-ont	-aient

Note.—The Conditional and the Imperfect Subjunctive, and all compound tenses are omitted in the following

	Infinitive.	Present and Past Participle.	Present Indicative.	Past Historic
REGULAR VERBS	**donner,** *to give*	donnant donné	donne, -es, -e donnons, -ez, -ent	donnai
	finir, *to finish*	finissant fini	finis, -is, -it finissons, -issez, -issent	finis
	vendre, *to sell*	vendant vendu	vends, vends, vend vendons, -ez, -ent	vendis
IRREGULAR VERBS	**aller,** *to go*	allant allé	vais, vas, va allons, allez, vont	allai
	asseoir, *to seat*	asseyant assis	assieds, -ieds, -ied asseyons, -ez, -ent	assis
	avoir, *to have*	ayant eu	ai, as, a avons, avez, ont	eus
	battre, *to beat*	battant battu	bats, bats, bat battons, battez, battent	battis
	boire, *to drink*	buvant bu	bois, bois, boit buvons, buvez, boivent	bus
	conduire, *to lead*	conduisant conduit	conduis, -duis, -duit conduisons, -sez, -sent	conduisis
	connaître, *to know*	connaissant connu	connais, -ais, -aît connaissons, -aissez, -aissent	connus

Past Historic (3 types)

-ai	-is	-us
-as	-is	-us
-a	-it	-ut
-âmes	-îmes	-ûmes
-âtes	-îtes	-ûtes
-èrent	-irent	-urent

table, as they are formed in accordance with rules previously given.

Future and Imperfect Indicative.	Present Subjunctive.	Imperative.	Verbs similarly Conjugated.
onnerai onnais	donne, -es, -e donnions, -iez, -ent	donne donnons, -ez	Verbs in " -er "
nirai nissais	finisse, -es, -e finissions, -issiez, -issent	finis finissons, -issez	Verbs in " -ir "
endrai endais	vende, -es, -e vendions, -iez, -ent	vends, vendons, -ez	Verbs in " -re "
ai lais	aille, ailles, aille allions, alliez, aillent	va allons, allez	
ssiérai sseyais	asseye, asseyes, asseye asseyions, -eyiez, -eyent	assieds asseyons, -ez	s'asseoir (to sit down)
urai vais	aie, aies, ait ayons, ayez, aient	aie ayons, -ez	
attrai attais	batte, battes, batte battions, battiez, battent	bats battons, -ez bois	combattre abattre
oirai uvais	boive, boives, boive buvions, buviez, boivent	buvons, buvez	
onduirai onduisais	conduise, -ses, -se conduisions, -ez, -sent	conduis conduisons, -ez	Verbs in "-uire"
onnaîtrai onnaissais	connaisse, -sses, -sse connaissions, -iez, -ssent	connais connaissons, -ez	Verbs in "-aître"

	Infinitive.	Present and Past Participle.	Present Indicative.	Past Historic.
IRREGULAR VERBS	courir, *to run*	courant couru	cours, cours, court courons, -ez, -ent	courus
	craindre, *to fear*	craignant craint	crains, crains, craint craignons, -gnez, -gnent	craignis
	croire, *to believe*	croyant cru	crois, crois, croit croyons, -ez, croient	crus
	cueillir, *to gather*	cueillant cueilli	cueille, -es, -e cueillons, -ez, -ent	cueillis
	devoir, *to owe*	devant dû	dois, dois, doit devons, devez, doivent	dus
	dire, *to say*	disant dit	dis, dis, dit disons, dites, disent	dis
	écrire, *to write*	écrivant écrit	écris, écris, écrit écrivons, -vez, -vent	écrivis
	envoyer, *to send*	envoyant envoyé	envoie, envoies, envoie envoyons, -voyez, -voient	envoyai
	être, *to be*	étant été	suis, es, est sommes, êtes, sont	fus
	faire, *to make, do*	faisant fait	fais, fais, fait faisons, faites, font	fis
	falloir, *to be necessary*	*wanting* fallu	il faut	il fallut
	fuir, *to flee*	fuyant fui	fuis, fuis, fuit fuyons, fuyez, fuient	fuis
	lire, *to read*	lisant lu	lis, lis, lit lisons, lisez, lisent	lus
	mettre, *to put*	mettant mis	mets, mets, met mettons, -ez, -ent	mis
	mourir, *to die*	mourant mort	meurs, meurs, meurt mourons, mourez, meurent	mourus

Future and Imperfect Indicative.	Present Subjunctive.	Imperative.	Verbs similarly Conjugated.
ourrai ourais	coure, coures, coure courions, couriez, courent	cours courons, -ez	accourir, etc.
aindrai aignais	craigne, -es, -e craignions, -iez, -nent	crains craignons, -ez	Verbs in "-ndre"
oirai oyais	croie, croies, croie croyions, croyiez, croient	crois croyons, -ez	
ueillerai ueillais	cueille, cueilles, cueille cueillions, -iez, -ent	cueille cueillons, -ez	accueillir recueillir
evrai evais	doive, doives, doive devions, deviez, doivent	dois devons, devez	
irai isais	dise, dises, dise disions, disiez, disent	dis disons, dites	
crirai crivais	écrive, écrives, écrive écrivions, -viez, -vent	écris écrivons, -ez	décrire
averrai nvoyais	envoie, envoies, envoie envoyions, -iez, -oient	envoie envoyons, -ez	renvoyer
rai ais	sois, sois, soit soyons, soyez, soient	sois soyons, -ez	
rai isais	fasse, fasses, fasse fassions, -iez, -ent	fais faisons, faites	
faudra fallait	qu'il faille		
irai yais	fuie, fuies, fuie fuyions, -iez, -ient	fuis fuyons, -ez	s'enfuir (reflex.)
rai ais	lise, lises, lise lisions, lisiez, lisent	lis lisons, -ez	
ettrai ettais	mette, mettes, mette mettions, -iez, -ent	mets mettons, -ez	admettre permettre
ourrai ourais	meure, meures, meure mourions, -iez, meurent	meurs mourons, -ez	

	Infinitive.	Present and Past Participle.	Present Indicative.	Past Historic
IRREGULAR VERBS	ouvrir, *to open*	ouvrant ouvert	ouvre, ouvres, ouvre ouvrons, -ez, -ent	ouvris
	partir, *to set out, depart*	partant parti	pars, pars, part partons, -ez, -ent	partis
	plaire, *to please*	plaisant plu	plais, plais, plaît plaisons, -ez, -ent	plus
	pleuvoir, *to rain*	pleuvant plu	il pleut	il plut
	pouvoir, *to be able*	pouvant pu	peux or puis, peux, peut pouvons, pouvez, peuvent	pus
	prendre, *to take*	prenant pris	prends, prends, prend prenons, -ez, prennent	pris
	recevoir, *to receive*	recevant reçu	reçois, reçois, reçoit recevons, -ez, reçoivent	reçus
	rire, *to laugh*	riant ri	ris, ris, rit rions, riez, rient	ris
	savoir, *to know (fact)*	sachant su	sais, sais, sait savons, -ez, -ent	sus
	sortir, *to go out (see* partir)			
	suivre, *to follow*	suivant suivi	suis, suis, suit suivons, -ez, -ent	suivis
	se taire, *to keep silent*	taisant tu	tais, tais, tait taisons, -ez, -ent	tus
	tenir, *to hold (see* venir)			

Future and Imperfect Indicative.	Present Subjunctive.	Imperative.	Verbs similarly Conjugated.
.vrirai .vrais	ouvre, ouvres, ouvre ouvrions, ouvriez, ouvrent	ouvre ouvrons, -ez	couvrir offrir souffrir
.rtirai .rtais	parte, -es, -e partions, -iez, -ent	pars partons, -ez	dormir servir sentir sortir
.airai .aisais	plaise, plaises, plaise plaisions, -iez, -ent	plais plaisons, -ez	déplaire
pleuvra pleuvait	qu'il pleuve		
.urrai .uvais	puisse, puisses, puisse puissions, -iez, puissent	*wanting*	
.endrai .enais	prenne, prennes, prenne prenions, -iez, prennent	prends prenons, -ez	apprendre comprendre
.cevrai .cevais	reçoive, reçoives, reçoive recevions, -iez, reçoivent	reçois recevons, -ez	Verbs in "-cevoir"
.rai .ais	rie, ries, rie riions, riiez, rient	ris rions, riez	sourire
.urai .vais	sache, saches, sache sachions, -iez, sachent	sache sachons, -ez	
.uivrai .uivais	suive, suives, suive suivions, -iez, -ent	suis suivons, -ez	poursuivre
.irai .aisais	taise, taises, taise taisions, taisiez, taisent	tais-toi taisons-nous taisez-vous	

	Infinitive.	Present and Past Participle.	Present Indicative.	Past Histori
IRREGULAR VERBS	valoir, *to be worth*	valant valu	vaux, vaux, vaut valons, -ez, -ent	valus
	venir, *to come*	venant venu	viens, viens, vient venons, -ez, viennent	vins, -s, vînmes vîntes vinrent
	voir, *to see*	voyant vu	vois, vois, voit voyons, -ez, voient	vis
	vouloir, *to wish*	voulant voulu	veux, veux, veut voulons, voulez, veulent	voulus

Note.—The following peculiarities of verbs in " -er " must be noted :

(a) Verbs like " lever " and " mener " require " è " before mute endings in Present, and throughout Future and Conditional before mute " e,"—as also does " acheter."

(b) Verbs like " appeler " and " jeter " double the consonant in similar cases (" acheter " in (a) is an exception).

(c) " Espérer " and other verbs with acute accent in infinitive retain acute accent in 2nd and 3rd person plural.

e.g.

je lève	j'appelle	j'espère
tu lèves	tu appelles	tu espères
il lève	il appelle	itl espère
nous levons	nous appelons	nous espérons
vous levez	vous appelez	vous espérez
ils lèvent	ils appellent	ils espèrent

Future and Imperfect Indicative.	Present Subjunctive.	Imperative.	Verbs similarly Conjugated.
udrai lais	vaille, vailles, vaille valions, valiez, vaillent	vaux valons, -ez	
endrai nais	vienne, viennes, vienne venions, veniez, viennent	viens venons, -ez	devenir revenir tenir
rrai •yais	voie, voies, voie voyions, voyiez, voient	vois voyons, -ez	entrevoir revoir
•udrai •ulais	veuille, veuilles, veuille voulions, vouliez, veuillent	veuille, -ez (be so good as)	

Fut. :   je lèverai   j'appellerai   j'espérerai

Condit : je lèverais   j'appellerais   j'espérerais

  (d) Verbs in " -oyer," " -uyer," " -ayer " (e.g. employer, ennuyer, payer) change " y " to " i " in similar cases, though this change is optional in the case of verbs in " -ayer."

  e.g. j'emploie   nous employons
      tu emploies vous employez
      il emploie   ils emploient

Fut :   j'emploierai

Condit : j'emploierais

  (e) Verbs in " -cer " require " ç," and verbs in " -ger " require " ge " before " a " or " o."

  e.g. nous commençons, je commençais, nous mangeons, je mangeais.

IDIOMS AND PHRASES

With " avoir "

avoir chaud	to be hot
,, froid	,, cold
,, faim	,, hungry
,, soif	,, thirsty
,, peur	,, frightened
,, raison	,, right
,, tort	,, wrong
,, besoin (de)	,, in need of
,, honte	,, ashamed
,, envie (de)	,, anxious to
,, mal	,, suffering
,, l'air	to appear to be, to look
,, sommeil	to be sleepy
,, lieu	to take place

With " faire "

il fait beau (temps)	it is fine (weather)
,, mauvais (temps)	,, bad (weather)
,, chaud	,, hot
,, froid	,, cold
,, jour	,, daylight
,, nuit (noir)	,, night (dark)
,, frais	,, fresh
,, bon	,, nice
,, du soleil	,, sunny
,, du vent	,, windy
,, du brouillard	,, foggy
il se fait tard	,, getting late
faire de son mieux	to do one's best
,, des emplettes, des achats	to do some shopping
,, des commissions	to do some errands
,, ses excuses	to apologise
,, visite (à)	to pay a visit to

faire cadeau (de)	to make a present of
,, semblant (de)	to pretend to
,, mal	to hurt, harm
,, une promenade (un tour)	to go for a trip or ride
(1) à bicyclette, à cheval	by bike, on horseback,
(2) en auto, en bateau, en	by car, by boat, by
avion, en chemin de fer	aeroplane, by rail
(3) à pied	to go for a walk

Miscellaneous Verbs

je me rappelle ⎫	
je me souviens de ⎬	I remember
je viens de voir	I have just seen
je venais de voir	I had just seen
je me sers de	I make use of, use
je ressemble à quelqu'un	I resemble someone
j'ai beau crier	I shouted in vain
je vous en veux	I bear you a grudge
jouer au tennis, etc.	to play tennis, etc.
jouer du piano, etc.	to play the piano, etc.
tomber à terre	to fall to the ground (from above)
tomber par terre	to fall to the ground (from standing position)
il faillit tomber	he nearly fell
il vaut mieux	it is better
il vaudrait mieux	it would be better
il pleut à verse	it is raining in torrents
comment allez-vous?	how are you?
comment ça va?	how goes it?

With Nouns

un coup d'œil	a glance
,, de pied	a kick
,, de poing	a punch (fist)
,, de fusil	a shot (gun)
,, de grâce	a final blow
en haillons, en lambeaux	in rags
tout le monde	everybody
le monde entier	the whole world

à mon gré	to my liking
à mon insu	without my knowing
à mon aise	at my ease
à mon avis	in my opinion

Adverbial Expressions
(a) *Time*

de temps en temps	from time to time
en même temps	at the same time
tout à l'heure	presently ; or just now
en un clin d'œil	in a flash
tout à coup	suddenly
tout de suite sur-le-champ }	immediately
deux fois par jour	twice a day
en retard	late (for a fixed time)
il est tard	it is late
sous peu	shortly
il y a trois jours, etc.	three days ago
au bout de trois jours	after three days
en train de	in the act of
sur le point de	just about to
aussi vite que possible le plus vite possible }	as quickly as possible
de bonne heure	early
de bon (ou grand) matin	early in the morning
le lendemain matin	the next morning
encore une fois	once again
à temps	in time

(b) *Manner*

à toute vitesse	at full speed
tout à fait	completely
à tâtons	groping
à haute voix	in a loud voice
à voix basse	in a low voice
en colère	in anger
à genoux	on one's knees
bras dessus, bras dessous	arm-in-arm

à tue-tête	at the top of one's voice
sur la pointe des pieds	on tiptoe
sans mot dire	without saying a word
à la hâte	hastily
à la dérobée	secretly
par avion, par le métro	by air, by Underground
de toutes ses forces	with all his might
de cette façon	in this way

(c) *Position*

au loin	in the distance
à mi-chemin	half way
en haut	up above
en bas	down below
en route } chemin faisant }	on the way
au soleil	in the sun
à l'ombre	in the shade
à perte de vue	as far as the eye can see
en avant } en arrière }	forward } backward } (motion)
à droite	to the right
à gauche	to the left
à l'étranger	abroad
en plein air	in the open air
en pleine campagne	in the open country
à l'abri de	in the shelter of
de tous côtés	on all sides
là-bas	down there
ça et là	here and there
à la campagne	in the country
quelque part	somewhere
nulle part	nowhere
en face (de)	opposite
en tous sens	in every direction
ailleurs	elsewhere
debout	standing

EXCLAMATIONS

à moi! au secours! }	help!
holà! ohé!	hallo!
chut!	hush! (caution)
taisez-vous!	oh! be quiet! (request)
à la bonne heure! bravo! }	splendid!
pas du tout!	not at all!
quel dommage	what a pity!
prenez garde! attention! }	be careful! look out!
faites attention!	pay attention!
tiens!	well! I say!
tenez!	just look here! come now!
allez-y! vas-y! }	go it!
n'importe ça ne fait rien ça m'est égal }	it doesn't matter!
bonne chance!	good luck!
bon voyage!	pleasant journey!
que faire?	what is to be done?
qu'avez-vous?	what is the matter with you?
qu'y a-t-il?	what is the matter?
à quoi bon?	what's the good?
c'est ça!	that's right!
tant mieux!	so much the better!
tant pis!	so much the worse!
dépêchez-vous! hâtez-vous!	hurry up!
s'il vous plaît!	please!
au revoir!	good-bye! (temporarily)
adieu!	good-bye!
mon Dieu! sapristi! }	heavens! dear me! etc.

USEFUL WORD LISTS

(1) *Les Parties du Corps* (Parts of the Body)

Masc.		Fem.	
le corps	body	la tête	head
les cheveux	hair	l'oreille	ear
le front	forehead	la bouche	mouth
l'œil (les yeux)	eye	la dent	tooth
le nez	nose	la langue	tongue
le menton	chin	la moustache	moustache
le cou	neck	la barbe	beard
le doigt	finger	la joue	cheek
le bras	arm	la main	hand
le dos	back	la peau	skin
le pied	foot	l'épaule	shoulder
le genou	knee	la jambe	leg
le visage	face	la figure	face
le cœur	heart	la gorge	throat
l'os	bone	la poitrine	chest

sound the H.
les hanches the hips. (F)
la lèvre the lips
(M) les ongles the nails
la taille the waist & the size.

(2) *Les Vêtements* (Clothes)

Masc.		Fem.	
le chapeau	hat	la casquette	cap
le pardessus	overcoat	la robe	dress
le manteau	cloak	la jupe	skirt
le complet	suit	la blouse	blouse, smock
le costume	costume	la bottine	boot *les bottes*
le veston	jacket	la cravate	tie
le gilet	waistcoat	la chaussette	sock
le pantalon	trousers	la veste	jacket
le mouchoir	handkerchief	la chemise	shirt
le bas	stocking	la manche	sleeve
le sac à main	handbag	la pantoufle	slipper
le soulier	shoe	la poche	pocket
le parapluie	umbrella	la bague	ring

Masc.		*Fem.*	
l'uniforme	uniform	la montre	watch
le képi	military cap	la bourse	purse
le béret	beret	les lunettes	spectacles
le gant	glove	la canne	walking-stick

(3) *La Famille* (The Family)

Masc.		*Fem.*	
le père	father	la mère	mother
le frère	brother	la sœur	sister
le fils	son	la fille	daughter
l'oncle	uncle	la tante	aunt
l'enfant (m.)	child	l'enfant (f.)	child
le grand-père	grandfather	la grand'mère	grandmother
le neveu	nephew	la nièce	niece
le mari	husband	la femme	wife
le cousin	cousin	la cousine	cousin
le petit-fils	grandson	la petite-fille	grand-daughter
le beau-père	father-in-law	la belle-mère	mother-in-law
le valet	valet	la bonne	maid
le domestique	servant	la domestique	servant
le chef	cook	la cuisinière	cook

(4) *Les Professions et les Métiers* (Professions and Trades)

le professeur	teacher	le soldat	soldier
le médecin	doctor	l'ingénieur	engineer
le boulanger	baker	le pharmacien	chemist
le boucher	butcher	le coiffeur	hairdresser
l'épicier	grocer	le bijoutier	jeweller
le marchand	merchant	le gendarme	policeman (country)
le fermier	farmer		
l'ouvrier	workman	l'agent	policeman (town)
l'acteur	actor		
l'auteur	author	l'aubergiste	inn-keeper
l'écrivain	writer	le banquier	banker
le juge	judge	le jardinier	gardener
l'avoué	lawyer	le mendiant	beggar
le peintre	painter	le facteur	postman
le marin	sailor	le porteur	porter

Masc.		Fem.	
le chauffeur	chauffeur	la cuisinière	cook
le tailleur	tailor	la modiste	modiste
le concierge	caretaker	l'actrice	actress
le musicien	musician	la dactylo	typist
le commis	clerk	la vendeuse	saleswoman

(5) *La Maison* (The House)

Masc.		Fem.	
le vestibule	entrance-hall	la pièce	room
le couloir	corridor	la salle à manger	dining-room
le salon	drawing-room	la chambre à coucher	bedroom
le cabinet	study	la cuisine	kitchen
le mur	wall	la salle de bain	bathroom
le plafond	ceiling	la cheminée	chimney, fireplace, mantelpiece
le plancher	floor		
le rez-de-chaussée	ground-floor	la fenêtre	window
le toit	roof	la vitre	window-pane
l'étage	storey		
les meubles	furniture	la table	table
le piano	piano	la chaise	chair
le fauteuil	armchair	l'armoire	cupboard
le rideau	curtain	la bibliothèque	library, bookcase
le tableau	picture		
le tiroir	drawer	la pendule	clock (small)
l'escalier	staircase	la sonnette	bell (door)
le volet	shutter	la nappe	tablecloth
le lit	bed	la radio	wireless
le tapis	carpet	la clef	key
le divan	sofa	la photographie	photograph
le garage	garage	la cave	cellar
le jardin	garden	la mansarde	attic
le jardin potager	kitchen-garden	la poutre	beam
l'appartement	flat	la brique	brick
le balcon	balcony	la tuile	tile
l'ascenseur	lift	la pelouse	lawn
le fourneau	stove		

(6) *Le Restaurant*

Masc.		Fem.	
le repas	meal	la nappe	tablecloth
le ⎰ petit ⎱ ~~premier~~ déjeuner ⎰ breakfast		la serviette	table-napkin
		l'assiette	plate
		la tasse	cup
le déjeuner	lunch	la fourchette	fork
le thé	tea	la cuillère (-er)	spoon
le dîner	dinner	la bouteille	bottle
le souper	supper	la carafe	decanter
le couteau	knife	la viande	meat
le verre	glass	la pomme de terre	potato
le plat	dish	la carotte	carrot
le potage	soup	la pomme	apple
le pain	bread	la poire	pear
le beurre	butter	la cerise	cherry
le lait	milk	la prune	plum
le fromage	cheese	la fraise	strawberry
le sucre	sugar	l'orange	orange
le poisson	fish	la pêche	peach
le légume	vegetable	la glace	ice
le chou	cabbage	la crème	cream
les petits pois	peas	la confiture	jam
le dessert	dessert	la brioche	bun
l'œuf	egg	la boisson	drink
le bœuf	beef	la bière	beer
le mouton	mutton	l'eau	water
le jambon	ham	l'addition	bill
l'agneau (m.)	lamb	la carte *le menu*	menu
le veau	veal	l'omelette	omelet
le porc	pork	la saucisse	sausage
le vin	wine	la côtelette	cutlet
le cidre	cider	la pâtisserie	pastries
le café	coffee	la salade	salad
le chocolat	chocolate	la tomate	tomato
le gâteau	cake	la limonade	lemonade
le biscuit	biscuit	la tartine	slice of bread and butter or jam
le fruit	fruit		
le raisin	grape		

(7) *La Ville* (The Town)

Masc.		Fem.	
le faubourg	suburb	la gare	station
le quartier	district, a quarter	la rue	street
		l'église	church
le magasin	shop	la place	square
l'autobus	bus	la poste	post office
le tramway	tram	la boîte aux lettres	letter-box
le trottoir	pavement		
le métro	Underground	la banque	bank
l'hôtel (de ville)	hotel (town-hall)	l'auto(mobile)	car
		la bicyclette	bicycle
le musée	museum	la motocyclette	motor-cycle
le café	café	la voiture	vehicle, carriage
le restaurant	restaurant		
le kiosque	kiosk	l'usine ⎫	factory
le refuge	street-refuge	la fabrique ⎭	
le réverbère	lamp-post	la boutique	small shop
le taxi	taxi	la bibliothèque	library
le cinéma	cinema	la boucherie	butcher's shop
le théâtre	theatre	la boulangerie	baker's shop
l'hôpital	hospital	la fruiterie	greengrocer's shop
le bureau (de poste)	office post office	l'épicerie	grocer's shop
l'agent	policeman	la pâtisserie	pastrycook's shop
le facteur	postman		
le tailleur	tailor	la librairie	bookshop
le passant	passer-by	la pharmacie	chemist's shop
le marché	market	la modiste	milliner
l'arrêt	(bus) stop	la chaussée	roadway
le camion	lorry	la circulation	traffic
le pont	bridge	l'horloge	clock (large)
le bâtiment	building	la devanture	shop-front
le parc	park	l'école	school
le maire	mayor	la foule	crowd
l'appartement	flat	l'affiche	poster
le lycée	college	la coiffeuse	hair-dresser
le marchand	merchant	la vendeuse	saleswoman
le concierge	the caretaker	la roue	wheel

(8) *Le Chemin de Fer* (Railway)

Masc.		Fem.	
le train	train	la gare	station
le rapide	express	l'entrée	way in
le quai	platform	la sortie	way out
le guichet	booking-office	la ligne	line (railway system)
l'employé	clerk		
le billet	ticket	la voie	line (track)
le contrôleur	ticket-collector	la locomotive	engine
		la malle	trunk
le chef de gare	stationmaster	la valise	suitcase
le chef de train	guard	la voyageuse	passenger
le voyageur	passenger	la consigne	luggage office
le buffet	buffet	la douane	customs
le kiosque	kiosk	la voiture	carriage
le wagon-lit	sleeping-compartment	la banquette	seat (bench)
		la portière	door (of a carriage)
le compartiment	compartment		
les bagages	luggage	la glace	window (of a carriage)
le filet	rack (net)		
le fourgon	luggage van	la salle d'attente	waiting room
le mécanicien	engine-driver		
le porteur	the porter	la place	seat (place)
le signal	signal	l'étiquette	label

(9) *La Campagne* (The Country)

Masc.		Fem.	
le bois	wood	la route	road
le champ	field	la colline	hill
le lac	lake	la montagne	mountain
l'étang	pond	la vallée	valley
le chemin	road, way	la haie	hedge
le sentier	path	la ferme	farm
l'arbre	tree	la grange	barn
le pont	bridge	la cour	yard
le moulin	mill	la chaumière	cottage
le village	village	la barrière	gate (farm)
le verger	orchard	l'herbe	grass
le ruisseau	brook	la feuille	leaf

Masc.		*Fem.*	
le buisson	bush	la fleur	flower
l'oiseau	bird	la forêt	forest
le coq	cock	la moisson	harvest
le canard	duck	la paille	straw
le bœuf	ox	l'échelle	ladder
le mouton	sheep	la pompe	pump
le cochon	pig	la meule	rick
le cheval	horse	la bêche	spade
l'âne (m.)	donkey	la brouette	barrow
le lapin	rabbit	l'écurie	stable
le chasseur	hunter, sportsman	l'étable	cow-shed
		la charrette	cart (small)
le fermier	farmer	la charrue	plough
le paysan	peasant	la paysanne	the peasant woman
le château	castle		
le fossé	ditch	la vache	cow
le chariot	big cart	la chèvre	goat
le puits	well	l'abeille	bee
le blé	corn	la mouche	fly
le pommier	apple-tree	la poule	hen
le peuplier	poplar	l'oie	goose
le ciel	sky	la terre	earth, ground
le soleil	sun	la pierre	stone
le nuage	cloud	la boue	mud
le chêne	oak	la poussière	dust
le sapin	fir	la pluie	rain
le saule	willow	la neige	snow
le pré	meadow	la passerelle	small bridge

(10) *La Mer* (The Sea)

Masc.		*Fem.*	
le port	port	la plage	beach
le quai	quay	la jetée	pier, jetty
le bateau	boat	l'île	island
le navire	ship	la falaise	cliff
le paquebot	liner	la côte	coast
le vaisseau	vessel	la roche	rock

Masc.		*Fem.*	
le canot	rowing-boat	la marée	tide
le phare	lighthouse	la barque	fishing-boat
le mât	mast	la cabine	cabin
le pont	deck	la voile	sail
le passager	passenger	la cheminée	funnel
le marin	sailor (any rank)	la corde	rope
le matelot	sailor (able seaman)	la passerelle	gangway to shore, or captain's bridge
le sable	sand		
le caillou	pebble	l'ancre	anchor
le coquillage	shell	la marine	navy
le rocher	rock	la flotte	fleet
le filet	net	la vague	wave
le pêcheur	fisherman	la tempête	storm (gale)
le poisson	fish	la brume	mist
l'orage	storm (rain)	la rame	oar
le brouillard	fog	la baie	bay
le vent	wind	la grève	shore, shingle
le baigneur	bather	l'étoile	star
le naufrage	wreck		
le pavillon	flag		

LES PAYS ET LES HABITANTS

(Countries and Inhabitants)

Le Pays		L'Habitant	L'Adjectif	La Langue
l'Angleterre	England	l'Anglais	anglais	l'anglais
l'Écosse	Scotland	l'Écossais	écossais	
le Pays de Galles	Wales	le Gallois	gallois	le gallois
l'Irlande	Ireland	l'Irlandais	irlandais	
la France	France	le Français	français	le français
l'Allemagne	Germany	l'Allemand	allemand	l'allemand
l'Espagne	Spain	l'Espagnol	espagnol	l'espagnol
l'Italie	Italy	l'Italien (-nne)	italien	l'italien
la Suisse	Switzerland	le Suisse(-esse)	suisse	
la Belgique	Belgium	le Belge	belge	
la Hollande	Holland	le Hollandais	hollandais	le hollandais
la Russie	Russia	le Russe	russe	le russe
le Portugal	Portugal	le Portugais	portugais	le portugais
le Danemark	Denmark	le Danois	danois	le danois
la Suède	Sweden	le Suédois	suédois	le suédois
la Norvège	Norway	le Norvégien	norvégien	le norvégien
l'Autriche	Austria	l'Autrichien (-nne)	autrichien	
la Hongrie	Hungary	le Hongrois	hongrois	le hongrois
la Grèce	Greece	le Grec(-cque)	grec	le grec
les États-Unis	The United States	l'Américain	américain	
le Canada	Canada	le Canadien (-nne)	canadien	
le Japon	Japan	le Japonais	japonais	le japonais
la Chine	China	le Chinois	chinois	le chinois
les Indes } l'Inde	India	l'Indien (-nne)	indien	
l'Afrique	Africa	l'Africain	africain	
l'Europe	Europe	l'Européen (-nne)	européen	
l'Asie	Asia	l'Asiatique	asiatique	
l'Australie	Australia	l'Australien (-nne)	australien	
l'Amérique	America	l'Américain	américain	

Note.—All continents and countries ending in mute " **e** " in the above list are feminine.

VOCABULARY

Note.—For Days, Months, and Seasons, see Lesson IX.
For Countries, Inhabitants, etc., see Lesson X.

FRENCH–ENGLISH

A

à, to, at.
aboyer, to bark.
acheter, to buy.
adieu, good-bye, farewell;
  faire ses adieux, to say
  good-bye.
adorer, to adore, worship.
s' adresser à, to address oneself
  to, speak to.
une affaire, affair, deal, matter;
  les affaires, business.
afin de, in order to.
affreux, awful, frightful.
un âge, age.
âgé, aged, old.
s' agenouiller, to kneel (down).
agiter, to move quickly, agi-
  tate; to wave; s'agiter, to
  be troubled.
agréable, pleasant, agreeable.
agricole, agricultural.
aider, to help.
aigu, pointed, sharp; shrill.
une aile, wing.
aimer, to like, love.
aîné, elder, eldest.
ainsi, thus, so; ainsi que,
  even as.
un air, air, look; en plein air, in
  the open (air); avoir l'air
  (de), to seem (to).
ajouter, to add.
aller, to go; s'en aller, to go
  away.
allons! come now! come on!
allumer, to light.
alors, then.
amener, to bring.
un ami, friend.
amuser, to amuse; s'amuser,
  to enjoy oneself.

un an, year.
ancien, old, former.
un âne, donkey, ass.
anglais, English.
l' Angleterre (*f.*), England.
une année, year.
annoncer, to announce.
apercevoir, to perceive, catch
  sight of.
apparaître, to appear.
un appartement, flat, suite.
appartenir, to belong.
appeler, to call; s'appeler, to
  be called (named).
apporter, to bring.
apprendre, to learn; to hear.
s' approcher (de), to approach,
  go up to.
après, after.
un après-midi, afternoon.
un arbre, tree.
l' argent (*m.*), silver; money.
une armoire, cupboard.
arracher, to snatch, pull up,
  tear out.
arrêter, to stop, arrest;
  s'arrêter, to stop.
en arrière, back(wards).
une arrivée, arrival.
arriver, to arrive, come (along);
  to happen.
articuler, to articulate, pronounce.
s' asseoir, to sit down.
assez, enough, sufficiently;
  fairly, rather.
assis, seated, sitting.
assister (à), to be present (at),
  to witness.
atteindre, to attain, reach.
attendre, to await, wait for,
  expect.
une attente, wait.

234

faire attention, to be careful, to pay attention.
attentivement, attentively, closely.
attraper, to catch.
attristé, saddened.
une **auberge**, inn.
aucun (+ ne), no, none.
au-dessus (de), above.
aujourd'hui, today.
aussi, also, too.
aussitôt, at once, immediately.
autant, as much.
autour de, round.
autre, other.
s' **avancer**, to advance, go (come) forward.
avant, before ; **en avant**, forward, in front ; **avant que** (+ subj.), before.
avec, with.
une **aventure**, adventure.
avoir, to have.

B

se **baigner**, to bathe, dip.
le **banc**, bench, seat.
la **barque**, (sailing-) boat.
bas (adj.), low ; (adv.) quietly.
battre, to beat ; **se battre**, to fight.
beau (f. **belle**), beautiful, fine, handsome.
beaucoup, (very) much, a great deal.
la **besogne**, task, job.
le **besoin**, need ; **avoir besoin**, to need.
la **bête**, creature, animal, beast.
bête, stupid, dull-witted.
le **beurre**, butter.
bien, well, very, certainly, duly ; **eh bien !** well !
bientôt, soon, presently.
le **billet**, ticket.
blanc (f. **blanche**), white.
le **blé**, corn.
blesser, to injure, wound.
bleu, blue.
le **bœuf**, ox, beef.
boire, to drink.
le **bois**, wood.
la **boîte**, box.

bon (f. **bonne**), good, kind, right.
le **bond**, bound.
bondir, to leap.
la **bonne**, maid.
le **bord**, side, edge, brim, shore.
border, to border, line.
la **bouche**, mouth, lips.
le **boulevard**, boulevard.
la **bourse**, purse.
le **bout**, end.
la **bouteille**, bottle.
la **boutique**, shop.
le **bras**, arm.
la **Bretagne**, Brittany.
briller, to shine, show bright.
se **briser**, to break.
le **brouillard**, fog, mist.
brouillé, uncertain, not clear.
le **bruit**, noise.
brûler, to burn.
la **brume**, mist.
brusquement, quickly, sharply.
le **buffet**, sideboard.
le **buisson**, bush.
le **bureau**, office, study.

C

ça, that.
le **cabinet**, study, consulting-room.
cacher, to hide.
le **cadeau**, present.
le **café**, coffee.
la **campagne**, country (-side).
le **canapé**, sofa, settee.
le **canard**, duck.
la **canne**, walking-stick.
car, for, because.
la **carte**, map, card.
la **casquette**, (cloth) cap.
casser, to break (down).
à **cause de**, because of.
causer, to talk, chat.
celle, she ; that ; the one.
celui, he ; that ; the one ; **celui-ci**, this one, the latter.
cependant, yet, however.
cesser, to cease, stop.
ceux, these, those ; **ceux-ci**, these, the latter.
chacun, each one, each person.
la **chaise**, chair.

la chambre, room ; la chambre
à coucher, bedroom.
le champ, field.
la chanson, song.
chanter, to sing, carol ; to
chirp.
le chapeau, hat.
chaque, each.
charmant, charming, delight-
ful.
chasser, to hunt, shoot ; to
drive away.
le chasseur, hunter.
le château, castle.
chaud, warm.
le chef, chief, head, leader.
le chemin, road, way, lane ; le
chemin de fer, railway.
la cheminée, chimney, chimney-
piece.
le chêne, oak.
cher (f. chère), dear.
chercher, to seek, look for,
get ; aller chercher, to
fetch.
le cheval, horse.
chez, at the house of ; chez
moi, at my house, at home.
le chien, dog.
choisir, to choose.
la chose, thing.
le chou, cabbage.
le ciel (plur. les cieux), sky,
heaven.
la circulation, traffic.
les ciseaux (m.), scissors.
clair, clear, light.
la classe, class.
le clocher, steeple, church tower.
le coin, corner.
la colère, anger, rage.
la colline, hill.
combien, how much (many)?
how.
comme, as, like.
comment? how?
le compagnon, companion.
comprendre, to understand.
le comté, county.
le concierge, caretaker.
conduire, to conduct, lead,
drive, take, guide.
le congé, holiday.
connaître, to know.

conserver, keep.
content, pleased, glad, satis-
fied.
contre, against ; by.
le contrebandier, smuggler.
la corde, rope.
le corps, body.
le côté, side ; à côté de, beside,
next to, close to, by ; de
tous côtés, in all directions.
coucher, to lie, to sleep ; se
coucher, to go to bed.
couler, to flow.
la couleur, colour.
le coup, stroke, blow ; shot ;
tout à coup, suddenly.
couper, to cut.
la cour, court ; yard.
courbé, bent.
courir, to run, hasten.
court, short.
le couteau, knife.
coûter, to cost.
la cravate, tie.
creuser, to dig.
le cri, cry, shout.
crier, to call (out), cry, shout,
yell, scream.
croire, to think, believe ;
croire à, to believe in.
le croissant, bread-roll.
la cuisine, kitchen.
cultiver, to cultivate, grow.
le cygne, swan.

D

d'abord, first (of all).
la dame, lady.
dans, in, into.
debout, upright, standing.
découvrir, to discover, un-
cover.
défendre, to defend ; to forbid.
dehors, outside.
déjà, already.
déjeuner, to lunch, have
lunch ; le déjeuner, lunch ;
le petit déjeuner, breakfast.
demain, tomorrow.
demander, to ask (for) ; se
demander, to wonder.
demeurer, to remain ; to live.
demi, half.

la dent, tooth.
le départ, departure.
depuis, since.
déranger, to trouble, disturb ; to shift.
dernier, last.
derrière, behind.
descendre, to get down, get out.
devant, in front of.
devenir, to become.
devoir, to owe ; to have to, must.
le devoir, duty ; les devoirs, (school) homework.
dicter, to dictate.
Dieu, God ; mon Dieu ! gracious me !
difficile, difficult.
dîner, to dine ; le dîner, dinner.
dire, to say, tell.
le directeur, manager ; (school) headmaster.
se diriger vers, to make for, go towards.
disparaître, to disappear.
le doigt, finger ; claw.
le domestique, servant.
donc, therefore, so, then.
donner, to give.
dont, whose, of which.
dormir, to sleep.
le dos, back.
le douanier, customs officer.
doucement, gently, softly.
doux (f. douce), sweet, gentle, soft, quiet.
droit, right.
dur, hard.
durer, to last.

E

l' eau (f.), water.
(s') échapper, to escape.
éclairer, to light (up), illuminate.
éclater, to burst.
une école, school.
écouter, to listen (to).
s' écrier, to exclaim, call out.
écrire, to write.
une écurie, stable.

une église, church.
s' élancer, to rush, dash.
s' élever, to rise (buildings, etc.).
embrasser, to embrace, kiss.
emmener, to take (away), lead (away).
empêcher, to stop, prevent.
un emploi, job ; use.
un employé, clerk.
emporter, to carry (take) away ; to carry along.
en, in.
encore, yet, again, still, further.
s' endormir, to go to sleep.
un endroit, place, spot.
un(e) enfant, child.
enfin, finally, at last.
énorme, huge.
enseigner, to teach.
ensemble, together
ensuite, then, afterwards.
entendre, to hear.
entourer, to surround.
entre, between.
entrer, to enter, come in, go in.
environ, about.
envoyer, to send.
épais (f. épaisse), thick.
une épaule, shoulder.
un épicier, grocer.
une époque, time.
épuisé, exhausted, tired out.
un équilibre, balance.
un escalier, staircase, stairs.
une espèce, kind, sort.
espérer, to hope.
essayer, to try (to = de).
une étable, (cow-) shed.
un étage, floor, storey.
l' été (m.), summer.
l' étonnement (m.), astonishment, surprise.
étonner, to surprise, astonish; s'étonner, to be surprised (astonished).
étrange, strange.
un étranger, stranger, foreigner.
être, to be.
étroit, narrow.
étudier, to study.
examiner, to examine, inspect.

excepté ; à l'exception de, excepting, with the exception of.
expliquer, to explain.
extérieur, external, outside.

F

en face, opposite, facing, right in front.
fâché, annoyed.
facile, easy.
le facteur, postman.
la faim, hunger.
faire, to make, do.
la falaise, cliff.
falloir, to be necessary.
farouche, wild, untamed.
fatigué, tired, weary.
le fauteuil, arm-chair.
faux, false.
la femme, woman, wife ; la femme de chambre, maid.
la fenêtre, window.
le fer, iron ; steel.
la ferme, farm.
fermer, to close, shut.
la fermière, farmer's wife.
la fête, celebration, festivity, birthday ; un jour de fête, holiday.
le feu, fire.
la feuille, leaf.
fidèle, faithful.
fier, proud.
la figure, face.
filer, to travel (cars, etc.).
la fille, girl, daughter.
la fillette, little girl.
le fils, son.
la fin, end.
finir, to finish.
la fleur, flower ; en fleurs, in bloom, in blossom.
le fleuve, (great) river.
la foire, fair.
la fois, time ; une fois, once.
le fond, bottom, far end.
formidable, frightful, formidable.
fort (adj.) strong ; (adv.) very loud.
la foule, crowd.
frais (f. fraîche), fresh, cool.

frapper, to hit, knock, strike.
le frère, brother.
froid, cold ; le froid, cold.
la fumée, smoke.
fumer, to smoke.
le fusil, rifle, gun.

G

gagner, to earn.
gai, gay.
le gant, glove.
le garçon, boy ; waiter.
garder, to keep, preserve.
la gare, station.
gauche, left.
le gendarme, policeman.
généralement, generally, usually.
les gens, people.
la glace, ice ; (carriage) window.
glisser, to slide, slip.
la grange, barn.
la grappe, bunch, cluster.
gravir, to climb (hill, etc.).
grimper, to climb (trees, etc.).
gros (f. grosse), big, stout.
guetter, to watch for, look out for.

H

(Words beginning with h aspiré are marked with an asterisk.)

s' habiller, to dress.
habiter, to live (in).
une habitude, habit ; comme d'habitude, as usual.
la *haie, hedge.
le *hangar, shed.
le *hasard, chance.
en *hâte, in haste, hurriedly.
*haut, high, tall ; en haut, above, at the top.
l' herbe (f.), grass.
une heure, hour, time ; de bonne heure, early.
heureusement, fortunately.
hier, yesterday.
une histoire, story.
l' hiver (m.), winter.
un homme, man.
une horloge, clock.

I

ici, here.
une idée, idea.
inquiet, anxious.
s' inquiéter, to worry.
s' installer, to settle oneself, settle down.
un instant, instant, moment.
intéressant, interesting.
un invité, guest.
isolé, lonely.

J

jamais (+ ne), never.
la jambe, leg.
le jardin, garden.
jaune, yellow.
jeter, to throw.
le jeu, game.
jeune, young.
joli, pretty.
jouer, to play.
le jour, day, daylight.
le journal, newspaper ; diary.
la journée, day.
la jupe, skirt.
jurer, to swear.
jusqu'à, as far as, up to, until.
justement, precisely.

L

là, there, here.
laisser, to leave, let.
le lait, milk.
le lapin, rabbit.
large, wide, broad.
la leçon, lesson.
léger, light, slight.
le légume, vegetable.
le lendemain, the next day.
lentement, slowly.
lequel (laquelle), which.
lever, to raise ; se lever, to get up.
libre, free.
le lieu, place ; avoir lieu, to take place ; au lieu de, instead of.
le lit, bed.
le livre, book.

loin, distant, far ; au loin, in the distance.
long (f. longue), long ; le long de, along.
longtemps, long, a long time.
lorsque, when.
lourd, heavy.
la lumière, light.
la lune, moon.
le lycée, grammar-school.

M

le magasin, shop.
la main, hand.
maintenant, now.
le maire, mayor.
mais, but.
la maison, house.
mal, badly, ill.
malade, ill.
malgré, in spite of.
malheureusement, unfortunately.
malheureux, unhappy, unfortunate.
maman, mother, " mummy."
manger, to eat.
manquer, to lack ; to miss ; to fail.
le marchand, merchant, dealer, shopkeeper.
le marché, market ; la place du marché, market-place.
marcher, to walk.
le mari, husband.
le marin, sailor (profession).
le matelot, sailor (rank).
le matin, morning.
la matinée, morning (whole).
mauvais, bad, wretched.
meilleur, better, best.
même, same, self, very, even.
mener, to take, lead.
la mer, sea.
la mésaventure, misadventure.
mettre, to put, to take (time) ; se mettre à, to start to.
les meubles (m.), furniture.
midi, midday, noon.
le mien (la mienne, etc.), mine.
mieux, better ; aimer mieux, to prefer.
le milieu, middle.

mille, (a) thousand.
misérable, miserable, wretched.
la mode, fashion.
moindre, smallest, slightest.
moins, less, least ; not so;
au moins, at least.
le mois, month.
la moitié, half.
le moment, moment ; au moment où, at the moment when, just as.
le monde, world ; tout le monde, everybody.
le monsieur, (the) gentleman.
la montagne, mountain, hill.
monter, to rise, mount, go up, get in.
la montre, watch.
montrer, to show.
le morceau, piece, bit, fragment.
mort, dead.
le mot, word.
le mouchoir, handkerchief.
le moulin, mill.
mourir, to die.
le mouton, sheep.
le moyen, means, way.
le mur, wall.
le musée, museum.

N

nager, to swim.
le navire, ship.
ne . . . plus, no longer ; ne . . . que, only.
neiger, to snow.
neuf, new.
le nez, nose.
Noël, Christmas.
noir, black.
le nom, name.
nouveau (f. nouvelle), new ; de nouveau, again, afresh.
la nouvelle, piece of news.
le nuage, cloud.
la nuit, night, dark, darkness.
le numéro, number.

O

obéir, to obey.
une occasion, opportunity, chance.
occupé, occupied, busy.

un œil (plur. les yeux), eye ; un coup d'œil, glance.
un œuf, egg.
offrir, to offer.
un oiseau, bird.
l' ombre (f.), shade, shadow.
l' or (m.), gold.
oser, to dare.
ôter, to take off, take from.
oublier, to forget.
ouvert, open.
ouvrir, to open.

P

le pain, bread, loaf.
le palais, palace.
le panier, basket.
le papier, paper.
le paquet, parcel, packet.
par, by, through ; out of.
paraître, to appear, seem, look.
le pardessus, overcoat.
pareil (f. pareille), such, similar, like.
parler, to talk, speak.
parmi, among.
la parole, word.
la part, share ; de la part de, on the part of, from.
partir, to start (off), set out ; à partir de, starting from.
partout, everywhere.
le pas, step, footstep, pace.
le passant, passer-by.
passer, to pass ; to go by ; to spend (time) ; se passer, to happen, take place.
la patte, foot.
pauvre, poor.
payer, to pay (for).
le pays, country.
le paysan, peasant.
la peau, skin, hide.
le pêcheur, fisherman.
la peine, difficulty ; à peine, hardly, scarcely.
se pencher, to lean forward, bend forward.
pendant, during ; pendant que, while.
pendu, hanging.
penser, to think.

le père, father.
permettre, to permit, allow.
le perroquet, parrot.
la personne, person ; **personne + ne**, nobody.
petit, small.
peu, little, few.
la peur, fear ; **avoir peur**, to be afraid.
peut-être, perhaps.
la pièce, room ; **la pièce de monnaie**, coin.
le pied, foot.
la pierre, stone.
le pistolet, pistol.
la place, place ; square ; room.
la plage, beach.
plaire, to please.
le plat, dish.
plat, flat.
plein, full.
pleurer, to cry, weep.
pleuvoir, to rain.
plier, to bend.
la pluie, rain.
la plume, pen (nib).
la plupart, most.
plus, more.
plusieurs, several.
le pneu, tyre.
la poche, pocket.
la pointe, point.
le poisson, fish.
la pomme, apple ; **la pomme de terre**, potato.
le pommier, apple-tree.
le pont, bridge ; (*of a ship*) deck.
le port, port, harbour.
la porte, door, gate.
porter, to carry, bear, wear.
la portière, door (*of a conveyance*).
poser, to put, place, stand ; to ask (*a question*).
possible, possible.
le poulet, chicken.
pour, for ; in order to.
pourquoi? why?
pousser, to push (forward) ; to utter.
la poussière, dust.
pouvoir, to be able.
précipiter, to throw ; **se précipiter**, to rush.

premier (*f.* **première**), first.
prendre, to take.
se préparer à, to prepare for, get ready for.
près (de), near (to, by) ; **de près**, at close quarters ; **à peu près**, almost, nearly.
présenter, to introduce ; **se présenter**, to present oneself.
presque, almost, nearly.
pressé, pressed, in a hurry.
prêt, ready.
prêter, to lend.
prier, to pray (to), beg.
le prix, price.
prochain, next.
la promenade, walk.
se promener, to walk, go about.
propre, own, clean.
le propriétaire, owner.
puis, then, next.
puisque, since.
punir, to punish.

Q

le quai, quay, (*railway*) platform.
quand, when.
quant à, as for.
le quart, quarter.
quelque (*adj.*), some.
quelquefois, sometimes.
quelqu'un, somebody.
quitter, to leave.
quoi, what.
quoique, although.

R

raconter, to relate, tell.
la raison, reason ; **avoir raison**, to be right.
ramasser, to pick up.
se rappeler, to remember.
rapporter, to bring (take) back.
rare, rare
recevoir, to receive.
se réchauffer, to warm oneself, get warm.
reconnaître, to recognize.

reculer, to recoil, retreat.

le regard, glance.

regarder, to look at, watch ; to concern.

le règne, reïgn.

regretter, to regret, be sorry.

remarquer, to notice.

remercier, to thank.

remplacer, to replace, substitute.

remplir, to fill.

rencontrer, to meet, encounter.

rendre, to render ; rendre visite (à), to call upon.

rentrer, to come (go) in ; to go (come) home.

renverser, to overturn, upset.

le repas, meal.

répliquer, to reply.

répondre, to answer, reply.

se reposer, to rest.

rester, to stay, remain.

en retard, late.

le retour, return.

retourner, to return, go back ; se retourner, to turn (look) round.

réussir, to succeed.

(se) réveiller, to waken, wake up.

revenir, to come back, return.

au revoir, good-bye.

le rez-de-chaussée, ground floor.

riant, laughing.

le rideau, curtain.

rien (+ ne), nothing.

rire, to laugh.

la rive, bank.

la rivière, river.

la robe, dress.

le rocher, rock.

le roi, king.

le roman, novel.

rôti, roast.

la roue, wheel.

rouler, to roll, go along, travel.

la route, (main) road, highway.

la rue, street, road.

le ruisseau, brook.

S

le sable, sand ; gravel.

le sac, bag.

saisir, to seize, grip.

la saison, season.

sale, dirty, filthy.

la salle, (living) room ; la salle à manger, dining-room ; la salle de bain, bathroom.

le salon, drawing-room.

le sang, blood.

sans, without.

la santé, health.

le sapin, fir (-tree).

le saut, jump, leap.

sauter, to jump.

sauvage, wild.

sauver, to save ; se sauver, to run away, decamp.

savoir, to know (how).

sec (f. sèche), dry.

secouer, to shake.

au secours ! help !

le séjour, stay ; living.

la semaine, week.

sembler, to seem.

le sentier, path, pathway.

sentir, to feel ; to smell (of).

serrer, to grip, clasp ; se serrer la main, to shake hands.

servir, to serve ; servir de, to serve as ; se servir de, to use, make use of.

seulement, only.

si, if ; yes ; so (adv.).

siffler, to whistle.

le sifflet, whistle; un coup de sifflet, a whistle blast.

le signe, sign; faire signe, to beckon.

le singe, monkey.

la sœur, sister.

la soif, thirst.

le soir, evening.

la soirée, evening.

le soldat, soldier.

le soleil, sun.

sombre, dark (-coloured).

le sommeil, sleep.

le sommet, top.

le son, sound, notes, ringing.

sonner, to ring (the bell), ring for.

la sorte, kind, sort.

sortir, to go (come) out; take out.

le sou, halfpenny, copper.

souffler, to blow.

souffrir, to suffer.

soulever, to raise, lift.

le soulier, shoe.

sourire, to smile ; le sourire, smile.

sous, under, beneath.

soutenir, to hold up, support.

le souvenir, memory, recollection.

souvent, often.

suivant, next, following.

suivre, to follow.

le sujet, subject ; au sujet de, about.

sur, on.

surtout, especially.

T

le tabac, tobacco ; le bureau de tabac, tobacconist's.

la table, table.

le tableau, picture.

se taire, to be silent, keep quiet.

tant, so much (many).

la tante, aunt.

le tapis, carpet.

tard, late.

le tas, heap.

tel (f. telle), such ; such and such.

tellement, so, to such a degree.

la tempête, storm.

le temps, time ; weather ; en même temps, at the same time ; de temps en temps, from time to time.

tenir, to hold.

terminer, to finish, end.

le terrain, ground.

la terre, earth ; ground ; par terre, on the ground ; à terre, to the ground.

la tête, head ; lever la tête, to look up.

tiens! here! look! I say!

timide, shy.

tirer, to pull, draw, take out ; to shoot, fire.

le toit, roof.

tomber, to fall ; laisser tomber, to drop.

avoir tort, to be wrong.

tôt, early, soon.

toujours, always, still ; all the same ; comme toujours, as usual.

la tour, tower.

le tour, turn, tour ; faire le tour, to go round.

tourner, to turn.

tout, all ; any.

tout de suite, at once.

tranquille, quiet.

trapu, thick-set.

le travail (pl. travaux), work.

travailler, to work.

à travers, through, across.

la traversée, crossing, voyage.

traverser, to cross, pass through.

très, very.

triste, sad.

se tromper, to be mistaken, make a mistake.

trop, too much (many).

le trou, hole.

troué, in holes.

trouver, to find; se trouver, to be (found).

tuer, to kill.

U

usé, worn, threadbare.

V

la vache, cow.

le vagabond, tramp.

la vague, wave.

vendre, to sell.

venir, to come ; venir de (faire), to have just (done).

le vent, wind.

le verre, glass.

vers, towards.

à verse, in torrents.

verser, to pour.

vert, green.

le vestibule, (entrance) hall.

le vêtement, garment ; les vêtements, clothes.

la viande, meat.

vide, empty.

la vie, life ; gagner sa vie, to earn one's living.

vieille (f. of vieux), old.

vieux, old.

la **vigne**, vine.
le **vigneron**, vine-grower.
le **vin**, wine.
la **ville**, town
le **visage**, face.
la **visite**, visit ; **faire, rendre visite à,** to call upon, pay a visit to.
visiter, to visit ; to inspect.
vite, quickly.
la **vitesse**, speed.
la **vitrine**, shop-window.
voici, here is.
voilà, there (here) is (are) ; **me voilà !** here I am !
la **voile**, sail.
voilé, veiled.
voir, to see.
le **voisin** (*f.* la **voisine**), neighbour.
voisin, neighbouring.

le **voisinage**, neighbourhood.
la **voiture**, carriage, vehicle, car.
la **voix**, voice.
voler, (1) to fly ; (2) to steal.
le **volet**, shutter.
le **voleur**, thief, robber.
vouloir, to wish. want ; **vouloir dire,** to mean.
le **voyage**, journey, travel.
voyager, to travel.
le **voyageur** (*f.* la **voyageuse**), traveller.
vrai, true, right.
vraiment, really, indeed.

Y

les **yeux** (*plur.* of l'**œil**, *m.*), eyes ; **lever les yeux,** to look up.

Note.—Irregular Verbs are indicated by an asterisk.

A

able, to be, pouvoir.*
about, (= *approximately*) environ ; (= *time*) vers ; (= *about to*) sur le point de
abroad, à l'étranger.
to accept, accepter.
accident, un accident.
to accompany, accompagner.
across, à travers.
address, une adresse.
to advance, s'avancer.
adventure, une aventure.
to advise, conseiller.
Africa, l'Afrique (*f.*).
afraid, to be, avoir* peur.
after(wards), après ; afternoon, un(e) après-midi.
again, encore, de nouveau.
ago ; (a month) ago, il y a (un mois).
alarmed, worried (to be), s'inquiéter.
all, (*sing.*) tout, toute ; (*plur.*) tous, toutes ; not at all, pas du tout.
to allow, permettre,* laisser.
alone, (tout) seul.
along, le long de.
already, déjà.
also, aussi.
although, bien que (*or* quoique) + *subj.*
always, toujours.
among, parmi.
to amuse, amuser.
angry, fâché ; get angry, se fâcher.
animal, un animal (*plur.* des animaux) ; la bête.
another, un(e) autre.
answer, la réponse.
to answer, répondre.
anything, quelque chose ; not anything, ne... rien.

to appear, paraître,* apparaître.*
apple, la pomme ; apple-tree, le pommier.
to approach, s'approcher (de).
arm-chair, le fauteuil.
arrival, une arrivée.
to arrive, arriver.
as, comme ; as far as, jusqu'à.
to ask (for), demander ; (= *to request*) prier (to = de).
asleep, endormi.
astonished, étonné.
astonishment, l'étonnement (*m.*).
attack, attaquer.
to attend (= *be present*), assister (à).
aunt, la tante.
autumn, l'automne (*m.*).
avoid, éviter.

B

back, le dos.
bad, mauvais.
bag, le sac.
balcony, le balcon.
ball, la balle.
bank, le bord, la rive.
to bark, aboyer.
barn, la grange.
basket, (*small*) la corbeille ; (*large*) le panier.
to bathe, se baigner.
beach, la plage.
to beat, battre.*
beautiful, beau (*f.* belle).
because, parce que.
to become, devenir.
bed, le lit ; to go to bed, se coucher.
bedroom, la chambre (à coucher).
beef, le bœuf.
before, (*time*) avant ; before (doing), avant de (faire).

to begin (to), commencer (à), se mettre (à).*

behind, derrière.

to belong, appartenir.*

below, en bas.

to bend down, se baisser, se pencher.

beside, à côté de, auprès de.

besides, d'ailleurs.

best, (adj.) meilleur ; (adv.) mieux.

better, (adj.) meilleur ; (adv.) mieux.

between, entre.

bicycle, la bicyclette.

big, gros (f. grosse), grand.

bird, un oiseau.

black, noir.

blue, bleu.

boat, le bateau.

book, le livre, le cahier (exercise book).

bordered (with), bordé (de).

to borrow, emprunter.

both, tous (les) deux.

to bother, déranger.

bottle, la bouteille.

bottom, le fond.

box, la boîte.

boy, le garçon, l'enfant.

bray, braire.

bread, le pain.

bridge, le pont.

to bring, (a thing) apporter ; (a person) amener ; to bring back, rapporter, ramener.

brook, le ruisseau.

brother, le frère.

brown, brun.

building, le bâtiment.

built, bâti.

to burn, brûler.

'bus, un autobus ; by 'bus, en autobus.

bush, le buisson.

busy (doing), occupé à (faire).

but, mais.

butcher, le boucher.

butter, le beurre.

to buy, acheter.

by (= near), près de.

C

cabbage, le chou (plur. les choux).

café, le café.

cake, le gâteau.

to call, appeler ; to call out, crier.

calm, calme.

calmly, tranquillement.

captain, le capitaine.

car, une auto, la voiture.

card, la carte ; to play cards, jouer aux cartes.

care, le soin.

caretaker, le concierge.

to carry, porter ; to carry off, emporter.

castle, le château.

cat, le chat.

to catch, attraper ; (a train) prendre.*

to cease, cesser (de).

certainly, certainement.

chair, la chaise.

charming, charmant.

to chat, causer.

chauffeur, le chauffeur.

cheese, le fromage.

chief, le chef.

child, un(e) enfant.

choose, choisir.

Christmas, Noël.

church, une église.

cinema, le cinéma.

city, la ville.

class, la classe.

classroom, la (salle de) classe.

clean, propre (after noun).

clear, clair.

clerk, un employé.

cliff, la falaise.

to climb, (= to clamber up), grimper sur (or dans) ; (= to walk up) gravir, monter.

clock, (big) une horloge ; (small) la pendule.

close, près (de) ; quite close, tout près.

to close, fermer.

clothes, les vêtements (m.).

cloud, le nuage.

cloudless, sans nuage.

coast, la côte.

coat, (woman's) le manteau.

coffee, le café.

coin, la pièce.

cold, froid ; to be cold, (person) avoir* froid.

to collect, collectionner.
to come, venir* ; to come back, revenir* ; to come down, descendre ; to come home, revenir* (rentrer) à la maison ; to come in, entrer ; to come out, sortir* ; to come up, monter ; to come up to, s'approcher (de).
comfortable, confortable.
compartment, le compartiment.
corn, le blé.
corner, le coin.
to cost, coûter.
cottage, la petite maison, la chaumière.
to count, compter.
country, le pays ; (= countryside) la campagne ; in(to) the country, à la campagne.
courage, le courage.
of course, bien entendu, naturellement.
cousin, le cousin, la cousine.
covered with, couvert de.
cow, la vache.
to cross, (= go across) traverser.
crowd, la foule.
to cry, pleurer ; (= to exclaim) crier, s'écrier.
cup, la tasse.
cupboard, une armoire.
to cure, guérir.
customs-officer (-man), le douanier.
to cut, couper.
to cycle, aller* à bicyclette.

D

dance, le bal (plur. les bals).
danger, le danger.
to dare, oser.
to dash, s'élancer.
day, le jour, la journée ; (the) next day, le lendemain.
dead, mort.
dear, cher (f. chère).
death, la mort.
to decide (to), décider (de).
deeply, profondément.
to depart, partir.
departure, le départ.
to desire, désirer.

desk, le bureau ; (school) le pupitre.
dictionary, le dictionnaire.
to die, mourir.*
difficult, difficile.
to dine, dîner.
dinner, le dîner.
disagreeable, désagréable.
to disappear, disparaître.*
to discover, découvrir.*
to disembark, débarquer.
to dismount, descendre.
distance, la distance ; in the distance, au loin.
to disturb, déranger.
to do, faire.*
doctor, le médecin ; (title) docteur.
dog, le chien.
donkey, un âne.
door, la porte ; (carriage) la portière.
down, to go, descendre.
downstairs, en bas.
dozen, la douzaine.
to draw, tirer.
drawer, le tiroir.
drawing, le dessin.
drawing-room, le salon.
dress, la robe.
to dress, s'habiller ; dressed in, habillé de.
to drink, boire.*
to drive, conduire.*
to drop, laisser tomber.
during, pendant.

E

each, (adj.) chaque ; each (one), chacun(e).
ear, une oreille.
early, de bonne heure, tôt ; earlier, plus tôt ; so early, si tôt.
to earn, gagner.
Easter, Pâques.
easy, facile.
end, (= finish) la fin ; (of a thing), le bout.
to enjoy, jouir de ; to enjoy oneself, s'amuser.
enormous, énorme.
enough, assez (de).
to enter, entrer.

to escape, s'échapper.
especially, surtout.
estate, la propriété.
even, même.
evening, le soir, la soireé.
ever, jamais.
every, chaque ; every day, tous les jours.
everybody, tout le monde.
everything, tout.
everywhere, partout.
evidently, évidemment.
examination, un examen.
excellent, excellent.
except, sauf.
to exclaim, s'écrier.
excursion, une excursion.
exit, la sortie.
to explain, expliquer.
to expose, exposer.
eye, un œil (*plur.* des yeux).

F

face, le visage, la figure.
fair, (*of persons*) blond.
fair, la foire.
fairly, assez.
to fall, tomber.
family, la famille.
far, loin ; as far as, jusqu'à.
farm, la ferme ; farmyard, la cour (de ferme).
farmer, le fermier.
farthing, le sou.
fast, vite.
father, le père.
to fear, avoir* peur (de), craindre.*
ferocious, féroce.
to fetch (*or* go and fetch), aller chercher.
a few, quelques.
field, le champ.
to fight, se battre.
film, le film.
finally, enfin.
to find, trouver.
fine, beau (*f.* belle).
finger, le doigt.
to finish, finir, terminer.
fire, le feu.
first, premier (*f.* première) ; first(ly), d'abord.
fish, le poisson.
to fish. pêcher.

fisherman, le pêcheur.
fishing-boat, le bateau de pêche.
flower, la fleur.
to fly, voler ; to fly away, s'envoler.
foggy, it is, il fait du brouillard
to fold, plier.
to follow, suivre.*
fond ; to be (very) fond of, aimer beaucoup.
foot, le pied ; on foot, à pied.
football, le football ; to play football, jouer au football.
footstep, le pas.
for, (*conj.*) car ; (*prep.*) pour ; (= *during*) pendant.
to forbid, défendre.
to forget (to), oublier (de).
formerly, autrefois.
fortnight, quinze jours ; une quinzaine (de jours).
fortune, la fortune ; to make one's fortune, faire fortune.
franc, le franc.
to freeze, geler ; it freezes, il gèle.
friend, un(e) ami(e).
to frighten, effrayer, faire* peur.
in front of, devant.
fruit, le fruit.
full, plein.
funny, drôle, amusant.
furniture, les meubles (*m.*).

G

gaily, gaiment.
garage, le garage.
garden, le jardin.
gardener, le jardinier.
gate, la barrière.
to gather, cueillir.*
gay, gai.
generally, généralement.
gentleman, le monsieur.
to get, chercher ; to go and get, aller* chercher ; to get up, se lever ; to get in (*a conveyance*), monter ; to get out (*of a conveyance*), descendre.
girl, la jeune fille.
to give, donner ; to give back, rendre.
glad, content.
glass, le verre.
glove, le gant.

to go, aller*; (= to start off) partir*; to go away (off), s'en aller*, partir*; to go back, retourner; to go back into, rentrer (dans); to go down, descendre; to go in, entrer; to go on (= continue), continuer; to go out, sortir*; to go through, traverser; to go up, monter; to go up to, s'approcher (de).

gold, l'or (m.).

good, bon.

good-bye, au revoir; to say good-bye, faire* ses adieux.

grandfather, le grand-père.

grandmother, la grand'mère.

grass, l'herbe (f.).

green, vert.

grey, gris.

grocer's (shop), l'épicerie (f.), chez l'épicier.

ground, la terre.

group, le groupe.

gun, le fusil.

H

hair, les cheveux (m.).

half, la moitié; half an hour, une demi-heure.

hall, le vestibule.

ham, le jambon.

hand, la main; in one's hand, à la main.

handbag, le sac à main.

handkerchief, le mouchoir.

handsome, beau (f. belle).

to happen, arriver, se passer.

happy, heureux.

harbour, le port.

hard, dur; to work hard, travailler ferme (dur).

hardly, à peine, ne . . . guère.

hat, le chapeau.

to have, avoir.*

head, la tête.

headmaster, le directeur.

health, la santé.

to hear, entendre.

heavy, lourd.

hedge, la haie.

to help, aider; help! au secours!

here, ici; here is (are), voici.

to hesitate (to), hésiter (à).

to hide, cacher.

high, haut.

hill, la colline.

hire, louer.

history, l'histoire (f.).

to hit, frapper.

to hold, tenir.*

hole, le trou.

holidays, les vacances (f.).

at home, à la maison, chez moi (nous, etc.); to come home, rentrer, revenir* à la maison; to go home, rentrer.

homework, les devoirs (m.).

honest, honnête.

to hope, espérer.

horse, le cheval.

hot, chaud.

hotel, un hôtel.

hour, une heure; half an hour, une demi-heure.

house, la maison.

however, cependant.

huge, vaste.

hundred, cent; hundred-franc note, le billet de cent francs.

hungry, to be, avoir* faim.

hunter, le chasseur.

to hurry, se hâter, se dépêcher (to = de); to be in a hurry, être* pressé.

hurt, faire mal (à), blesser.

husband, le mari.

I

idea, une idée.

if, si.

immediately, immédiatement.

impossible, impossible.

in, dans (future), en (duration).

inhabitant, un habitant.

ink, une encre.

inn, une auberge.

innkeeper, un aubergiste.

in spite of, malgré.

instant, un instant.

instead of, au lieu de.

intelligent, intelligent.

interesting, intéressant.

to invite, inviter (to = à).

isolated, isolé.

J

journey, le voyage.

to jump, sauter.
 just ; I have just (done), je viens de (faire) ; I had just (done), je venais de (faire) ; just as, au moment (à l'instant) où.

K

to keep, garder ; (shop), tenir.
 key, la clef.
to kill, tuer.
 kilometre, le kilomètre.
 kind, bon ; aimable.
 king, le roi.
 kitchen, la cuisine.
 knapsack, le sac.
 knife, le couteau, le canif (pocket-knife).
to knock, frapper ; to knock down, renverser.
to know, savoir* ; (acquaintance or place) connaître.*

L

lady, la dame.
lake, le lac.
lamp, la lampe.
land, la terre ; on land, sur terre.
lane, le petit chemin.
language, la langue.
large, grand.
last, dernier (f. dernière) ; last night (= evening), hier soir ; at last, enfin.
late, tard ; later, plus tard ; late (= after time), en retard.
latter, the, celui-ci (celle-ci).
to laugh, rire.*
 lawn, la pelouse.
 lazy, paresseux.
to lead, mener, conduire.*
to leap, bondir.
to learn, apprendre.*
to leave, laisser ; (a place) quitter ; (= to start off) partir.*
 left, gauche ; to (on) the left, à gauche.
 leg, la jambe.
to lend, prêter.
 less, moins (de).
 lesson, la leçon.
to let, laisser.
 letter, la lettre ; (-box) la boîte aux lettres.

library, la bibliothèque.
life, la vie.
light, la lumière.
light, léger ; (of colour) clair.
to light, allumer ; light up, éclairer.
to like, aimer.
 like, comme ; what is he like? comment est-il? to be like, ressembler (à).
to listen to, écouter.
 little, (adj.) petit ; (adv.) peu (de) ; a little, un peu (de).
to live, (in or at) habiter, demeurer à.
to lock, fermer à clef.
 London, Londres.
 lonely, solitaire.
 long, long (f. longue) ; (= a long time) longtemps ; no longer, ne . . . plus.
to look (at), regarder ; to look for, chercher ; to look round, se retourner ; to look (= to seem, appear), avoir* l'air.
to lose, perdre.
 a lot of, beaucoup de.
to love, aimer.
 luck, la chance.
 luggage, les bagages (m.).
 lunch, le déjeuner ; to lunch, have lunch, déjeuner.

M

madam, madame.
magazine, le magazine.
maid, la bonne.
main road, la route.
to make, faire* ; to make for (towards), se diriger vers.
 man, un homme.
 manager, le directeur.
 mantelpiece, la cheminée.
 many, beaucoup (de) ; so many, tant (de) ; as many, autant (de) ; too many, trop de.
 mare, la jument.
 market, le marché.
 marry, épouser.
 master, le professeur, le maître.
 match, une allumette.
 matter ; what is the matter? qu'y a-t-il? what is the matter with you? qu'avez-vous?

meadow, le pré, la prairie.
meal, le repas.
meat, la viande.
to meet, rencontrer.
merchant, le marchand.
metre, le mètre.
midday, midi.
middle, le milieu.
midnight, minuit.
mile, le mille.
mine, le mien (la mienne).
minute, la minute.
mirror, la glace.
to miss, manquer.
mistaken, to be, se tromper.
mistress, la maîtresse.
moment, un instant.
money, l'argent (m.).
month, le mois.
moon, la lune.
more, plus (de) ; no more (not
  any more), ne . . . plus.
morning, le matin ; good morning, bonjour ; (the) next
  morning, le lendemain matin.
most (of), la plupart (de).
mother, la mère.
motionless, immobile.
mount, monter.
mouth, la bouche.
to move, bouger.
much, very much, beaucoup
  (de) ; so much, tant (de) ;
  as much, autant (de) ; too
  much, trop (de).
mushroom, le champignon.
music, la musique.
myself, moi-même.

N

name, le nom.
narrow, étroit.
naughty, méchant.
near, près de.
nearly, presque.
necessary, it is—to (do), il faut
  (faire).
neck, le cou.
to need, avoir* besoin (de).
neighbouring, voisin.
neither . . . nor, ni . . . ni . . .
  (+ ne with verb).
never, ne . . . jamais.

new, nouveau (f. nouvelle) ; (=
  brand new) neuf (f. neuve).
newcomer, le nouveau venu.
newspaper, le journal (plur. les
  journaux).
next, prochain ; (the) next day,
  le lendemain ; (the) next
  morning, le lendemain matin;
  next to, à côté de.
nice, aimable, gentil (f. gentille).
night, la nuit ; last night, hier
  soir ; good night, bonsoir,
  bonne nuit.
nobody, personne (+ ne).
noise, le bruit.
nose, le nez.
note, le billet ; notebook, le
  carnet.
nothing, rien (+ ne).
to notice, (a thing) remarquer,
  apercevoir* ; (a fact) s'apercevoir.*
novel, le roman.
now, maintenant.
number, le numéro (specified) ;
  le nombre.

O

to offer, offrir.
office, le bureau.
officer, un officier.
often, souvent.
old, vieux (f. vieille) ; (=former)
  ancien.
on, sur.
once, une fois ; at once, tout de
  suite, immédiatement, aussitôt ; all at once, tout à coup.
only, ne . . . que, seulement.
to open, ouvrir.*
open, ouvert.
opposite, en face (de).
or, ou.
orchard, le verger.
to order, commander.
other, autre.
out (of), hors de ; to look out of,
  regarder par.
outside, dehors.
over, sur ; (= over and above)
  pardessus ; over there, là-bas.
overcoat, le pardessus.
ox, le bœuf.
oyster, une huître.

P

page, la page.
pair, la paire.
pale, pâle.
paper, le papier.
to pardon, pardonner.
parent, le parent.
park, le parc ; park-keeper, le gardien.
to pass, passer ; to pass through, traverser.
passenger, le voyageur.
passport, le passeport.
pathway, le sentier.
pavement, le trottoir.
to pay (for), payer.
peasant, le paysan.
pen, la plume.
pencil, le crayon.
perhaps, peut-être.
permission, la permission.
person, la personne.
pheasant, le faisan.
to pick, cueillir* ; to pick up, ramasser.
picnic, le pique-nique.
piece, le morceau.
place, le lieu, un endroit ; (seat) la place ; to take place, avoir* lieu.
to place, mettre, poser.
plant, la plante.
plate, une assiette.
platform, (railway) le quai.
to play, jouer.
pleasant, agréable.
please, s'il vous plaît.
pleased, content.
plenty of, beaucoup de.
pocket, la poche.
policeman, un agent (de police); police station, le poste de police.
polite, poli ; politely, poliment.
poor, pauvre.
port, le port.
porter, le porteur.
postman, le facteur.
post office, le bureau de poste.
possible, possible.
potato, la pomme de terre.
to prefer, préférer, aimer mieux.
to prepare, préparer.
present, le cadeau.
to pretend (to), faire* semblant (de).
to prevent, empêcher.
probably, probablement.
to promise, promettre.*
proud, fier.
to punish, punir.
pupil, un(e) élève.
to put, mettre* ; to put on, mettre.*

Q

quarter, le quart ; a quarter of an hour, un quart d'heure.
quay, le quai.
question, la question.
quickly, vite.
quiet, silencieux, tranquille.
quietly, (tout) doucement.

R

rabbit, le lapin.
radio, la radio, la T.S.F. (téléphonie sans fil).
railway, le chemin de fer.
rain, la pluie.
to rain, pleuvoir.*
rarely, rarement.
rather, assez.
to reach, arriver à.
to read, lire.
ready, prêt ; to get ready (to), se préparer (à).
really, vraiment.
to receive, recevoir.*
to recognize, reconnaître.
red, rouge.
to refuse, refuser.
region, la région.
to regret, regretter.
to relate, raconter.
to remain, rester.
to remember, se souvenir (de) ; se rappeler.
to reply, répondre.
to resemble, ressembler (à).
to rest, se reposer.
restaurant, le restaurant.
to return, retourner.
return, le retour.
revolver, le revolver.
rich, riche.
right, droit ; on (to) the right,

à droite ; **to be right,** avoir
raison.
to ring, sonner.
river, la rivière.
road, le chemin; (= *main road*)
la route.
roadway, la chaussée.
robber, le voleur.
rock, le rocher.
room, la pièce ; la salle ; (=
bedroom) la chambre ; (=
space) la place.
round, rond ; (*prep.*) autour de ;
to look round, se retourner.
to run, courir* ; (**away**), se sauver ; (**out**), sortir en courant.

S

same, même.
sand, le sable.
save, sauver.
to say, dire.*
school, une école ; (*secondary*)
le lycée, le collège.
schoolboy, un écolier ; (*secondary*) un lycéen, collégien.
sea, la mer ; **seaside,** le bord de
la mer.
to search, chercher.
seat, le banc, le siège ; (*in
theatre, train, etc.*) la place.
to see, voir.
to seem, sembler.
to seize, saisir.
to sell, vendre.
to send, envoyer*; **to send back,**
renvoyer ; **to send for,** envoyer chercher.
serious, grave, sérieux.
servant, le (la) domestique.
to set off, partir.*
several, plusieurs.
shade, l'ombre (*f.*).
to shine, briller.
ship, le navire.
shoe, le soulier.
shoemaker, le cordonnier.
shop, le magasin ; (*small*) la
boutique.
shot, le coup.
shoulder, une épaule.
to shout, crier.
to show, montrer.
side, le côté.

since, depuis.
to sing, chanter.
sister, la sœur.
to sit down, s'asseoir.*
sitting, assis.
situated, situé.
sky, le ciel.
to sleep, dormir* ; **to go to sleep,**
s'endormir.*
to slip, glisser.
slow, lent ; **slowly,** lentement.
to smile, sourire.*
smoke, la fumée.
to snatch, arracher.
snow, la neige ; **to snow,** neiger.
so, si ; (= *therefore*) donc.
softly, doucement.
soldier, le soldat.
some, du, etc., quelques (a
few).
somebody, quelqu'un.
something, quelque chose.
sometimes, quelquefois.
son, le fils.
song, la chanson.
soon, bientôt ; **as soon as,** dès
que, aussitôt que.
sorry, to be, regretter, être*
fâché.
sound, le bruit.
to speak, parler.
spectacles, les lunettes (*f.*).
to spend, (*time*) passer.
spring, le printemps.
square, la place.
stable, une écurie.
stairs, l'escalier (*m.*).
stamp, le timbre (-poste).
to stand, se tenir*; **to stand up,** se
lever.
to start, commencer ; (= *to set
out*) partir.*
station, la gare, la station (**Métro**)
to stay, rester, demeurer.
to steal, voler.
step, le pas.
stick, le bâton ; (*walking-stick*)
la canne.
still, encore, toujours.
stone, la pierre.
to stop, s'arrêter ; (*cease*) cesser.
street, la rue.
to strike, frapper.
suburb, le faubourg.

to succeed (in doing), réussir (à faire).

suddenly, soudain, tout à coup.

sugar, le sucre.

suitcase, la valise.

sun, le soleil.

sure, sûr.

surrounded by, entouré de.

to swim, nager.

T

table, la table.

to take, prendre* ; (a person) mener, conduire* ; to take (= to carry) porter ; to take off, ôter, enlever.

to talk, parler ; (= to chat) causer.

tall, grand.

taxi, le taxi.

tea, le thé.

to tell, dire ; (= relate) raconter.

tennis, to play, jouer au tennis.

to thank (for), remercier (de).

theatre, le théâtre.

then, alors ; (= next) puis ; (= afterwards) ensuite ; (= therefore) donc.

there, y ; là.

thief, le voleur.

thin, maigre.

thing, la chose.

to think, croire*, penser.

thirsty, to be, avoir* soif.

to throw, jeter.

ticket, le billet.

to tie, attacher.

time, le temps ; a long time, longtemps ; from time to time, de temps en temps ; at the same time, en même temps ; in time, à temps ; (as in once, twice, etc.) la fois.

tired, fatigué.

to (in order to), pour.

tobacco, le tabac.

today, aujourd'hui.

together, ensemble.

tomorrow, demain.

top, le sommet, le haut.

towards, vers.

town, une ville ; to go to (into) town, aller en ville.

traffic, la circulation.

train, le train.

to travel, voyager ; (vehicles) filer, rouler.

traveller, le voyageur.

true, vrai ; truly, vraiment.

trunk, la malle.

to try (to), essayer (de).

to turn, tourner ; to turn round, se retourner.

U

umbrella, le parapluie.

uncle, un oncle.

under, sous.

to understand, comprendre.*

to undress, se déshabiller.

unfortunately, malheureusement.

uniform, un uniforme.

unpleasant, désagréable.

until, (prep.) jusqu'à ; (conj.) jusqu'à ce que.

upstairs, en haut.

to use, se servir* de ; employer.

usually, généralement ; d'habitude.

V

in vain, en vain.

valley, la vallée.

vegetable, le légume.

very, très ; very much, beaucoup, bien.

view, la vue.

village, le village.

visit, la visite ; to visit, visiter ; faire* visite à (people).

voice, la voix.

W

to wait (for), attendre.

waiter, le garçon.

to wake up, (se) réveiller.

to walk, marcher ; to go for a walk, se promener, faire* une promenade.

walk, la promenade.

wall, le mur.

wallet, le portefeuille.

to want, vouloir,* désirer.

war, la guerre.

warm, chaud ; to be warm, (of persons) avoir* chaud.

to warm oneself, se chauffer.

to wash, se laver.

watch, la montre.

to watch, regarder.
  water, l'eau (f.).
  way, le chemin, la route.
  weak, faible.
to wear, porter.
  weather, le temps ; the weather is fine, il fait beau (temps).
  week, la semaine.
  well, bien ; well, sir, eh bien, monsieur.
  what ! comment !
  wheel, la roue.
  when, quand, lorsque.
  where, où.
  whether, si.
  whistle, siffler (vb.).
  white, blanc (f. blanche).
  whole, tout(e).
  why, pourquoi.
  wife, la femme.
  will you (do)? voulez-vous (faire)?
to win, gagner.
  window, la fenêtre.
  wine, le vin.
  winter, l'hiver (m.).

to wish, vouloir*, désirer.
  with, avec.
  without, sans.
  woman, la femme.
to wonder, se demander.
  wonderful, merveilleux.
  wood, le bois.
  word, le mot, (spoken) la parole.
  work, le travail.
to work, travailler.
to wound, blesser.
to write, écrire.
  wrong, to be, avoir tort.

Y

yard, la cour.
year, un an, une année ; a happy New Year ! bonne année !
yellow, jaune.
yesterday, hier ; yesterday evening, hier soir.
yet, encore.
young, jeune.
your, votre.

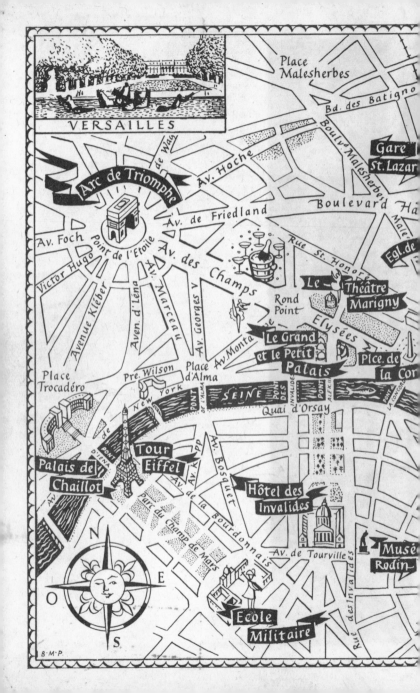